JN107352

歌舞伎町コロナ戦記

夜の町の500日

羽田 翔
フリーライター

飛鳥新社

歌舞伎町コロナ戦記　夜の街の５００日

まえがき

二〇二〇年三月三十日の月曜日、午後八時三十二分、拡大する新型コロナウイルス感染に対する緊急記者会見が、東京・西新宿にある都庁で開始された。会見の主は小池百合子東京都知事。少し離れた隣には、後に〝八割おじさん〟と呼ばれることになる、厚労省新型コロナ対策本部クラスター対策班・西浦博北海道大学大学院教授（当時）の姿があった。

会見の冒頭、都内の感染者数が増加したことに触れ（当日の都内の感染者・十三人、累計感染者数・四百四十三人）、なかでも海外帰国者以外で、感染経路不明の患者が多くなっていることを説明。そして、いま現在こそが、感染拡大を抑えられるか否かの分水嶺（ぶんすいれい）だとして、「重大な局面」「感染爆発重大局面」と強い言葉を発して、都民に危機感を訴えかけたのである。

そしてその後、これまでも新型コロナウイルスの影響で深刻な客の不入りに悩んでいた歌舞伎町に、決定的な打撃を与える情報を口にしたのだ。大切な部分なので、小池都知事の当該部分の発言を引用したい。

「(厚労省クラスター対策班によると) 感染経路が不明な症例のうち、夜間から早朝にかけて営業しているバー、そしてナイトクラブ、酒場などの接客を伴います飲食業の場で感染したと疑われる事例が多発している。そのことが明らかになったとのご報告でございました」

　そして、小池都知事が注意を促す新型コロナウイルスの感染リスクとして、換気の悪い密閉空間、多くの人が密集する場所、近距離での密接した会話の「三つの密」にこれらの場があてはまるとして、

「都民の皆さま方には、こうした場所への出入りを控えていただくようお願いしたい、今日はその場でございます。特に若者の皆さまにはカラオケ、ライブハウス、そして中高年の方々につきましては、バーやナイトクラブなど接待を伴います飲食店に行くことは当面お控えいただきたい、自粛していただきたいということでございます」

　いわゆる「夜の街」への禁忌(きんき)は、確かにこれまでも少なからずあった。がしかし、この日を境に、繁華街、なかんずく都知事のおひざ元である新宿・歌舞伎町に対する世間一般の空気は一変した。そして、いま現在に至るまでの、長い長い歌舞伎町のコロナ禍との戦

いは、この時をもって開始されたのである。

いまとなってみれば、「三密」回避は新型コロナウイルス対策の基本となった。また、厚労省のクラスター対策班の分析を受けた小池都知事の判断も妥当であったのだろう。ましてや筆者は医療の専門家でもなんでもない、一ライターである。専門的なことを言える立場ではなく、またそのつもりもない。

しかし、三十年以上、歌舞伎町をウオッチし、飲食を含む風俗業界にそれなりに精通している、と自負している身としては、小池都知事の発言に違和感は残る。具体的に指摘すれば次のような部分だ。

「夜間から早朝にかけて営業しているバー、そしてナイトクラブ、酒場などの接客を伴います飲食業の場」

「バーやナイトクラブなど接待を伴います飲食店に行くことは当面お控えいただきたい」

通常、歌舞伎町においては、接待や接客を伴う飲食店舗は、ナイトクラブ、キャバクラ、ホストクラブ、そしてスナック等、風俗営業法の範疇（はんちゅう）に数えられる店で行われているものだ。一方、バーの場合はほとんどが、深夜酒類提供飲食店営業（いわゆる深酒営業）で許可を得ており、接待や接客をすることは禁じられている。そもそも、風営法下の店舗と深酒営業の店舗は営業時間も違う。これは歌舞伎町のみならず、日本全国ほとんどの繁華街でも同様であろう。つまり、正確に言えば都知事の発言には、実情としても法律的にも矛盾点を含んでいたのだ。

しかし、東京都内のみならず、全国にもニュースとして発信されたこの情報は、バーとナイトクラブの（法的・業態的な）違いなど知らないであろう（興味がない？）多くの国民に共有され、これらの業種への警戒心はケタ違いに高まった。さらに、後の記者との質疑応答のなかで、西浦教授が発した「夜の街といいますか、夜間から早朝にかけての接待飲食業の場での感染者が（都内で増えている）」との言葉で、〝夜の街〟というフレーズが定着し、文字通り夜の街である歌舞伎町は、その元凶のように目されることになっていくのである。

この〝衝撃的〟な会見を経て、「夜の街」の危険性はとりわけ連呼され、ネット社会はもちろん、マスコミも集中的に「夜の街」を叩きだした。東京には新宿以外にも渋谷、銀座、六本木など「夜の街」はやまほどあるのに、テレビの画面に映るイメージ映像のほとんどが、歌舞伎町一番街のものだった（いまでもそうだ！）。

とりわけ、ネットでのバッシングは激烈だった。「歌舞伎町は出禁にしろ」「水商売を営業停止にできないか？」「いっそ、新宿自体を閉鎖したほうがいい」……それこそ雨あられである。もちろん、巨大な歌舞伎町のことだ。なかには、コロナ禍など歯牙にもかけないような輩（やから）もいるだろう。また、違法業者自体も少なからずいる。

しかし、ほとんどの歌舞伎町の住人は多くの国民同様、まっとうに生き、コロナ禍のなかであがいてきたのだ。また、そうでなければ、戦後このかた、歌舞伎町が庶民にこれほど長く愛されてきたワケがないではないか。本書は、そんなバッシング下の歌舞伎町で、住人たちがいかに戦い、生き延びてきたか、その一端を見つめ、記したものである。

目次

第三章 「夜の街」叩き 二〇二〇年六月～九月

第八章　歌舞伎町の生き字引・吉田康弘氏インタビュー

第一章 感染爆発

二〇二〇年一月末～三月

二〇二〇年一月二十九日

コロナ感染拡大「吉原などのソープ街が危ない！」という無責任

二〇二〇年一月二十八日、安倍内閣は感染が拡大している中国発の新型コロナウイルス感染症を「指定感染症」並びに検疫法による「検疫感染症」に指定する閣議決定をした。対応の遅さにいら立っていた国民の声に、遅まきながら応えた形だが、国民の間に広まった不安はそう簡単には収まらないようだ。ネットを中心にパンデミックを懸念する声が大きくなり、一部マスコミもそれに唱和する姿勢を見せている。

そんななか、成人男性を対象に風俗での新型コロナウイルス感染の可能性を示唆する記事も散見するが、（風俗が）特殊な対象とあってイマイチ、正確性を欠く記事もあるようだ。ここで改めて検証してみたい。

まずは、「吉原などのソープ街が危ない」についてだ。そもそも論として、風俗店などが個室で営業する以上、新型コロナウイルスだけではなく、インフルエンザ感染などのリスクも高いのは間違いない。ただそのなかで、「店は客を選べないので危ない」、「最近、中国人などの外国人を受け入れているので危ない」、という主張がある。

この点についてだが、吉原などの一部店舗で中国人を含めた外国人客を受け入れているのは事実である。しかし、それもごく一部であり、多くの吉原の店は外国人受け入れに積極的ではない。そしてここが大切なのだが、店が客を選べないというのは大きな誤解である。

吉原を歩いたことがある人ならわかると思うが、そもそも客のほとんどは予約客である。最寄り駅までの送迎車やタクシーで来店して、ことが終わると皆同様に去っていく。このシステムでは店側がセキュリティーを保ちやすく、よほど鈍感でない限り〝危険〟は避けるハズだ。ましてやソープ嬢が拒否すれば、それでおしまい。勘違いされることは多いが、風俗嬢は客を選ぶし、店もそれに従う。

もちろん、不特定多数が出入りする業態である以上、インフルを含めて店側が一層意識を高めることは必要だが、「吉原などのソープ街」がパンデミックの原因になると騒ぐのは、風評被害にもつながりかねない。

もうひとつ、いわゆる「ちょんの間」についてだが、街歩きでの入店、気安さなどを考えればソープよりはリスクが高そうだが、これはごく一部の地域（大阪や川崎）にしかないため、いざという時の封じ込めは容易である。現段階では、客側としては自己責任の範疇と言ってもいいだろう。

では、すべて自己責任なのか？　というとそうでもない。むしろいわゆる〝グレーゾーン〟に属する風俗こそが、安全性について意識が足りない。業種で言えば、「立ちんぼ」はもちろん、エステを装ったヌキの店などがそれにあたる。不法滞在の外国人などが従事していることも多く、万が一、新型コロナウイルスの症状が出たとしても、それを申告するとは思えない。〝グレーゾーン〟だけに根本的に順法意識がないのだから当然だろう。

いずれにしても、政府の対応を見てもわかるように「非常事態」であることに違いはない。基本的には風俗も含めて他者との接触を減らすのがリスクを回避する基本だ。それでも風俗には行きたい！　というのなら、リスクが高い業種は避けるのが無難であろう。

二月十八日

人がよりつかない！
コロナで来なくなったのは
中国人だけじゃない

歌舞伎町セントラルロードからTOHOシネマズ方面（筆者撮影）

うんざりするほど耳にする、新型コロナウイルス関連のニュース。日曜日である二月十六日には、東京都内で新たに五人の感染が確認された、とのニュースが流れた。そのうち三人は、すでに発症していたタクシー運転手からたどれる感染だが、残りの二人は関係のないルートだという。大都会東京に住む人たちが戦々兢々（せんせんきょうきょう）となるのも仕方がないだろう。

そんな状況だけに、人々は不要不急の外出自体を避けるようになってきたようだ。都心であり随一の歓楽街・観光地である新宿にその影響が顕著にあらわれている。新宿を中心に流しているタクシードライバーはこう証言する。

「新宿はガクッとお客さんが減りましたね。特に昼間です。なんだかんだ言って夕方を過ぎるとそれでも人はいるのですが、買い物客である主婦や年配者が寄り付かなくなった。子どもさん連れもいなくなりましたね。自分はもう、夕方までは新宿近辺を流すのは止めましたよ」

ちなみに、夜はまだマシというのは、歌舞伎町だけではなく、

「週末の（ＬＧＢＴタウンである）新宿二丁目はあまり変わりないですね。地方から上京してきたお客さんも相変わらず多いですし」

そして運転手は、その日の夜も二丁目をターゲットにする予定だと話した。

この昼間の新宿に人がいないというエピソードは、実際歩いてみるとよくわかる。というより、ここ数年、いかに中国人によるインバウンドに頼り切っていたかということが痛感される。

写真を見ていただこう。

メインとも言える新宿駅東口や西口の量販店近辺、ブランドショップなどは見た目からも人の減りがわかるくらい。なかでも深刻なのがデパート系で、駅に隣接する某デパートなどは中国人客がいなければ店員の数のほうが多いのではないか？　と錯覚してしまうく

歌舞伎町ど真ん中でこの状況（筆者撮影）

らいだった。

もっともそれもそのハズで、安倍政権は二〇二〇年度中に訪日外国人観光客数を四千万人台にのせるために、あらゆる努力を払ってきた。そして新宿は銀座や浅草を押さえて、東京で一番観光客が集まる場所なのだ。そのなかでも中国人観光客の数が一番なのだから、この騒動でダメージが大きくなるのは自明の理なのかもしれない。

さらに負の連鎖までもが……。歌舞伎町でバーを経営する女性はこうぼやく。

「今月（二月）に入ってお客さんが目に見えて減った。そう話しているのはウチだけではないの。もともとウチに外国人観光客はほとんどこないから、インバウンドは関係ないのだけど、この騒動のせいか日本人の常連さんの足が遠の

夜の歌舞伎町。日本人さえ寄り付かなくなっているのではないか（筆者撮影）

いた。これが痛い。もう、なかば諦めモードよ」

新宿は外国人観光客が多い。なので、必要がなければ足を延ばさない……という悪循環になっているのか。出口が見えない騒動だけに、関係者の懸念は募る一方だが、インバウンドに頼り切る営業がいかに不安定かということは、遅まきながら学習したハズだ。せめて、今後の対応に活かすことくらいはしたいものだ。

コラム

SMクラブ

風俗店を経営にするにあたって、経営者がもっとも留意すべき点に社交さんの確保があげられる。「社交さん」とは一般的には聞き慣れないが、風俗業界では広く知られている言葉で、風俗業に従事する女性、つまり風俗嬢のことをさす言葉なのである。

ともかくこの社交さん、その仕事の特殊さもさることながら、昨今の風俗ブームによる風俗店の乱立もあって、大変な売り手市場。風俗店経営者には、それこそかつてのバブル景気の時のような求人難が続いているのである。

そんな厳しい状況の中、渋谷にSMクラブがオープンした。

「SMクラブは儲かりそうだから」というなんとも呑気な（もしくは杜撰な）考えから、風俗店経営を思い立ったこのお店のオーナー氏。そんな考えだから当然社交さんの確保などはしておらず（通常、風俗店をたちあげるときは事前に社交さんの確保をしておくものである）、店をオープンする直前に風俗専門求人誌に募集広告を出す始末だ。

あまりの応募の少なさに「一人の女の子も集まらないかもしれない」などと泣きをいれるオーナー氏を励ましながらも、一ヵ月たった頃だった。

「羽田さん、やっと一人、女の子が確保できました。しかもM女です！」

ぜひ僕にそのM女を紹介したいというオーナー氏は、喜びを隠しきれない様子だった。

お店に行ってみると、おとなしそうな女性が一人、オーナー氏の横にちょこんと座っていた。ぽっちゃりとした、なかなかかわいい二十歳前後の女の子だった。

「いやあ、ホント性格のいい子でねえ。アナル・ファックもOKだし、文句ありませんよ。これからどんどん売り出しますよ」

オーナー氏はそう言って女の子に目をやると、ホントにいとおしそうに微笑んだ。

それからというもの、オーナー氏のその女の子への寵愛ぶりは大変なもので、「乱暴そうな客なので（プレイを）断った」から始まって、「ムチ打ちは可哀相だから考えなくては」「もうアナル・ファックはさせない」など、だんだんM女らしからぬ扱いになっていき、最後には「金のためにやっているんじゃない（!）」とまでエスカレートしてしまった。

こんな調子だから、経営は左前、自然と客足も遠ざかっていった。

「お金が稼げないいんだよね……」


オーナー氏から女の子が消えたという電話が入ったのは、それからしばらくしてからのことだった。

心底落胆したオーナー氏、

「ホント疲れました。しばらく店を休んで北海道にでも旅行に行ってきます。帰ってきたら必ず連絡します」

心なしか、僕にはオーナー氏から生気が無くなっているようにみえた。

それから数ヵ月、オーナー氏からの連絡はまだない。

1997年12月

二月二十五日

マスコミが報道する「人身売買組織」ほど非現実なものはない〝記者クラブ〟は権力の犬なのか

コロナパニックですべてのニュースが霞んでしまいそうな勢いだが、風俗業界的には看過できない事件があった。

民放各局が二月二十日、横並びに報じたところによると、群馬県太田市でフィリピンパブを三店舗経営する七十歳の男性経営者・F、及びフィリピン人ホステス十七人が入管難民法違反の疑いで警視庁に逮捕された。

Fは二〇一八年九月から十二月までの間に、不法残留のフィリピン人ホステスを働かせていた。もちろん、この三カ月というのは捜査で裏が取れた期間ということで、さらに長期にわたっているのは間違いない。

この行為が入管難民法違反にあたるわけだが、さらにFはホステスが入国した後、仲介者等にかかった費用四十万円を返済するまでは帰国させなかったという。これについて、警視庁は人身取引との認識で、調べを進める模様だ。

警視庁がマスコミ各社に公開した押収品には、フィリピン人ホステス名義の銀行通帳、源氏名が書かれた管理（?）リスト、そして返済にあたってホステスらに渡した領収書などがあった。領収書には五万円と記されており、いま何回目で残金いくらとも記述されている。つまり、四十万円なら八回で完済されるわけで、事実八回目の領収書には残金ゼロとも記されているのだ。

ちなみにFは二〇一四年から現在までの間に三店舗で約二億二千万円を売り上げていたという。また、ホステスを金銭で管理したことについても認める供述をしているので、捜査自体はスムーズに進むとみられる。

さて、ここで注視したいのはこの逮捕が警視庁主導であり、警視庁記者クラブに向けて公表したことだ。

各局横並びの報道といい、まず警視庁が望むままの報道と言っていい。そのなかで、入管難民法違反、不法残留、人身取引……などという「刺激的」なワードが並んでいる。興味がない一般国民が見れば、なにかとんでもない残酷なことが行われて、それを警視庁が摘発した！　と思ってもおかしくない。実際、国連などで日本で人身売買が行われていると指摘する根拠のひとつが、今回のような事案だ。

もちろん、人身取引や借金をかたに仕事をさせるのは非人道的であり、許されるものではない。ただ、この報道の映像で見て取れるだけでも、借金返済は八回で終わっており、その後フィリピン人ホステスが逃げ出した、あるいは保護を求めたという話は出てこない。また、売春を強要されたなどという報道もない。

誤解を恐れず言えば、もし、経営側・ホステス側両者の間に合意があったとすれば、（法は別にして）ウィンウィンの話であり、ことさらセンセーショナルに煽るようなことではないだろう。

実際、「事件現場」となった群馬県太田市の繁華街には多数のフィリピンパブがあり、スバルの企業城下町として好景気を享受する労働者たちの憩(いこ)いの場ともなっているのだ。

そのような状況下で、なんら背景も説明せず、ただ用意された資料だけを垂れ流し、結果的に警視庁の広報としての役割を担っているのが、大マスコミの記者クラブである。記者クラブの弊害は昨今、指摘されることが多いが、下々の「風俗関係」となればなおさら、ということなのだろう。

三月四日

歌舞伎町オワタ……！眠らない街が〝眠る街〟へついに飲食業は大不況へ

　コロナパニックの余波で、スポーツやエンターテインメントのイベントはことごとく自粛。なにかと動きが鈍い相撲協会も春場所の無観客開催を決定するなど、選抜大会開催に意欲（?）をみせる高野連と毎日新聞を除いては、ほぼ一億総自粛状態と言ってもいい。

　大規模なイベントを中止、あるいは無観客にすることは莫大な損害が出ることは言うまでない。その苦衷（くちゅう）は想像に難くないが、これら大きな組織の動き以上に厳しい状況に陥っているのが、小売業。特に飲食業界などだ。なかでも、客との距離感が近いバーやスナック、風俗店などにとっては死活問題となりつつある。新宿歌舞伎町でバーを経営する男性はこう話す。

「十年以上、この商売をやっているけどここまで悪いのは初めて。売り上げは三割ほど少なく、従業員の給料を払うのが精一杯。俺の分は蓄えを切り崩すしかないね」

男性経営者の言が大げさではないのは、実際、歌舞伎町の街を歩けばわかる。特に深夜帯だ。「眠らない街」で知られるように、終電を過ぎても人混みが絶えないのが特徴の街だが、コロナ騒動以降、その客足がぱったりと途絶えたという。別の女性バーオーナーがいう。

「歌舞伎町の場合、深夜一時、二時を過ぎて再びプチピークを迎える場合が多くて、その前提でシフトも組んでいる。でも、そのプチピークがぱたりとなくなった。フリーのお客さんはもちろん、常連さんの足も遠くなってる。たまに酔っぱらった外国人観光客がドアを開けるくらいで……」

つまり眠らない街から眠りにつく街へと、変わり始めている、というのだ。それだけに、

「ここ数日は、二時くらいで店を閉めてしまうところも多い。だから、余計街が暗く感じるんだよね」（女性オーナー）

文字通り生活に直結する「危機」ではあるが、その一方で従業員の健康面への配慮も考えずにはいられない。

「ほんとは、客商売としてはペケなんだけど、女の子にはマスクをしてカウンターに入ってもいいと言ってある。いま実際にマスクをしている子はいないけど、エアマスクなどを使っている子はいるよ。うちはバーだから、必要以上に距離感が近くなることはないけど、それでもカウンター越しに対応するワケだからさ」（男性経営者）

女性オーナーもできる対策はすべてとるというスタンスだ。

「換気をこまめにするとか、できることはやっている。ちょっと寒いけどね（笑）。ただ、それでお客さんやスタッフも少しは安心するし」

これらの話をしてくれたのは、歌舞伎町に無数にあるバーの当事者たちだ。彼らですらこれだけ厳しいなら、より接触が多くなるスナックやキャバクラ、文字通り濃厚接触の風俗店の苦衷は言うまでもない。

後手後手の対応が非難されるコロナパニックは、東洋一の歓楽街の様相まで一変させたようだ。

三月十一日

ピンチをチャンスに濃厚接触が少ない風俗

「コロナ疲れ」などという言葉が使われるほど、日本全体が新型コロナウイルスの猛威を前に疲弊（ひへい）している。いや、実際にコロナに感染していなくとも、日本国内の経済は世界的な株価の暴落、消費増税とコロナ消費減のダブルパンチなどで青息吐息。気分をあげていけ！　というのは難しい話だろう。

しかし、そんな状況を逆手にとって、なんとか活路を開こうという猛者が風俗業界にはいるのだ。

コロナ感染で、人と人との濃厚接触がもっとも禁忌とされているのは周知の通りだが、それだけに風俗店は業種問わず、風評被害も含めて苦悩している。だが、一部の援デリ（援助交際を装ったデリヘル）・パパ活業者たちはチャンス（？）と捉えている（ちなみに、ここでいう援交の一種であるパパ活は、パパ活を装った出会い系風俗を指す）。「援デリやパパ活でも濃厚接触は一緒じゃない？」というツッコミが入りそうだが、彼らの理屈はこうである。

いわゆる許可店（正確に言えば届け出店）である店舗型風俗は、狭い個室、不特定多数の出入り、店によっては換気に不安があるところもある。それに比べて援デリやパパ活は、あくまでも一対一、プレイに使う場所はある程度指定することもできる。それ故に店舗型よりは安全……ということだ。

正直、プレイ場所の大半を占めるラブホテルも、不特定多数という意味では同じとは思うのだが、「確かに店舗型よりは安全かも……」などと考えてしまう客もいるのかもしれない。

まあ、それだけ、人間の欲望は強いという証左なのかもしれないが……。

実際、某風俗掲示板などでは客にではなく、嬢への募集で「店舗型より安全？」と、うたっているところもある（これはこれでどうかと思うが）。要するに、客、嬢ともにそれだけ新型コロナウイルスへの危機感が強いのは間違いない。反面、前述したようにどのような状況になっても、風俗への欲望が強いのもまた事実だ。売春が人類最古の職業と言われるのはダテではないのだ。

もっとも、風俗業界全体のことを考えれば、そう安穏ともしていられない。すでに大分ではキャバクラでの感染が確認され、世の男性のなかでは「自粛」ムードも漂う。これでもし、店舗型の風俗などでコロナ感染が確認されることがあれば、風向きは一変、「濃厚接触の風俗店は危険だ。自粛しろ」という同調圧力がかからないとは言えない。

実際問題として、風俗がNGならスナックも危ない、スナックが危ないならバーも……となれば、経済のさらなる委縮に繋がりかねない。やはり、警戒はしつつも自己責任の範疇で行動していくしかないのだろう。そういった意味では、援デリでもパパ活でも同じ。やはり自己責任であり、絶対安全地帯はすでにない、ということは言っておきたい。為念。

コラム

業界カースト制度

先日、知り合いの店の一周年記念に顔を出す機会があった。ここはピンク映画の関係者がやっている店だけに、パーティにはそれらしい人たちの顔もチラホラ。

よく、ピンク映画、アダルトビデオ、あるいは風俗と言うと一般的には、同じくくりとまではいかなくとも、類似したカテゴライズととらえる人が多いと思う。しかし、各関係者から見れば、まったくとは言わないが、ほとんど別世界というくらいの差異を感じているんではないだろうか。

僕の場合でも、（一般的より）業界に精通していると思われる雑誌編集者に、「羽田さん、風俗に詳しいならアダルトにもコネがあるよね」などと言われることも多い。そんな時、僕のようにカツカツに生きているライターは、つい仕事欲しさに、「ええ、大丈夫だと思いますよ」などと安請け合いをしてしまい後で苦労することもある（まあ、隣接業界ではあるので意外になんとかなってしまうモノではあるが……）。

外から、ピンク映画やアダルトビデオ、あるいは我々風俗業界がどのように見られているかはわからない。だが、おかしなことになかには「ピンクとＡＶは違うから」とか、「ＡＶと風俗は違う」といったような妙な意識を持っている人もいる。別にカースト制度ではないのだから、プライオリティをつける必要はないと思うのだが、気にする人は気にするようだ。

それが、自尊心なのか、卑下しているのか、または裏返しのプライドなのかはわからないが、単純な物事をわざわざ難しくしているようで、僕自身はあまり好きではない。

そんな、妙な「業界カースト制度」に自ら関わっていく人間もなかにはいる。そういった人たちは意識のなかで、前記した三業種をピンク→ＡＶ→

風俗というふうにランク付けしているのである。また各業種内でもそれぞれにランクらしきモノがあり、たとえば風俗なら、セクパブ系↓非本番系↓本番系というような意識が他ならぬ社交にあったりするからややこしい。

僕自身、セクパブ系の社交からは、「ワタシ、ヌキのある仕事はできないなあ」という言葉を何度も効いたし、またあるヘルスの社交からは、「ワタシ、本番のある仕事はできないなあ」という言葉も何度も聞いたことがある。

ここまで読んだ人のなかには、「なるほど、そうやって棲み分けしているんだ」と思う人もいるかもしれない。ところが、ことはそう単純でもないのである。前記の筆法を使うなら、「ワタシ、ヌキのある仕事はできないなあ」と言っていた社交が、直後にヘルスに勤める場合もあるし、また「ワタシ、本番のある仕事はできないなあ」と言っていたのが、直後にホテトル勤めをする場合もあるのだ。実情としては、業種間のハードルは実際のところ「思ったより低い」のである。

つまり、「業界カースト制度」は社交自身が思っているほど強固なモノではないということだ。

２００２年１月

三月十八日

コロナの影響か？札幌・すすきので風俗嬢がトイレットペーパーに放火未遂「仕事のことでイライラしていた」

コロナ騒動の余波？　と言うには、あまりにも思慮が足りず危険な犯罪行為だ。

北海道警は三月十四日、札幌市内のコンビニトイレ内のトイレットペーパーに火をつけ、温水洗浄便座などを焼いたとして、住所不定の風俗嬢（28）を器物破損の容疑で逮捕した。地元北海道文化テレビなどが伝えた。

容疑者が放火を行ったのは、三月八日の午前二時ごろ。店内のトイレに入ると、ライターでトイレットペーパーに火をつけたという。容疑者はそのまま店を出たが、幸いなことに従業員がすぐ異変に気付き消火をしたことで、惨事は食い止められた。器物破損というのは、そのとき焼けた温水洗浄便座のリモコンとトイレットペーパーホルダー（十五万円相当）の被害である。

京都アニメーションの大惨事が記憶に新しいが、放火は一歩間違えば物的損害はもちろん、多くの人命を奪うこともある。今回の犯行現場は札幌市中央区南四条西五丁目という、すすきの駅からほど近い繁華街。もし消火作業が遅れたら……と考えるとゾッとする関係者は多いだろう。

容疑者の女性は調べに対して、「仕事の関係でイライラしていた。気持ちがむしゃくしゃして発散しようと火をつけた」と話しているというが、最悪なケースを考えれば、イライラもむしゃくしゃも言い訳にはならない。あまりにも思慮が足りなく、浅はかな行動としか言いようがない。

今回の事件を受けて地元の風俗専門掲示板などでは、容疑者がどこの風俗店なのか？という「犯人捜し」から始まって、イライラやむしゃくしゃの原因を憶測するような書き込みも目立っている。

すでに報道（つまり警察発表）で風俗嬢という限りはソープやデリヘル、それにセクキャバ（北海道でいうキャバクラ）など業種は絞られるが、犯人捜しをしても風評被害を呼びかねないし、正直意味もない。また、現実的に北の一大歓楽街・すすきののなかから特定するのは困難だ。

一方の動機についても「コロナで客が激減し、お茶をひいた（客がつかない）か？」「単にキモ客を相手にしただけ」等々……喧(かまびす)しい。しかし、本当のところは容疑者が起訴され、公判での証言を聞かなければなにもわからない。被害者が出なかったことから、裁判にさして時間はかからないと思うが、その頃には人々の関心もなくなっているだろう。

いずれにしても、新型コロナウイルスの影響をもろに受け、三月十九日までの緊急事態宣言が延長するのか解除されるのか、ヤキモキしている道民や関係者にとっては、人騒がせで迷惑な事件だったことは間違いない。

三月二十三日

都は対策会議でさらなる締め付けを決定　小池都知事が「ロックダウン」発言　買い占めも始まる

歌舞伎町に隣接する新宿総鎮守・花園神社の桜がほころび始めた三月二十三日。都は、新型コロナウイルスの感染拡大を受けて対策会議を開き、独自の対策として行っていた都主催の屋内大規模イベントなどを原則中止、もしくは延期とする自粛方針を四月十二日まで継続することを決定した。

すでに今回のコロナ騒動で、歌舞伎町はもちろん、靖国通りを挟んで駅側にあるもうひとつの繁華街、新宿三丁目も人通りは少なくなり、街で商売を営む人々は青息吐息になっていた。それだけに、この都の対策会議が出した結論が、この状況に拍車をかけることは想像に難くない。

いまひとつ、筆者が気になったのは対策会議終了後の記者会見で、小池都知事が発した「ロックダウンを避けないといけない」という言葉だ。横文字を好んで使うのは都知事の傾向で、一部では〝小池劇場〟などとも揶揄(やゆ)されるが、日本語で都市封鎖を意味する「ロックダウン」という言葉は、窒息寸前の歌舞伎町を含む夜の街はもちろん、周辺に住む住民をも強く刺激したようだ。

現実問題として、欧米などで行われる完全なるロックダウンは、我が国の現行法では無理なのだが、人々の頭にそれら〝完全封鎖〟のイメージを植え付けるのには十分だった。まず、スーパーなどの食料品がそのターゲットとなった。

新宿近辺のスーパーマーケットでも、主食となる米やインスタント食品、そしてパスタなど保存の利く食料品の棚ががら空きとなった。さらに、肉類、そして本来生鮮食品である野菜類までもが順番に買い占められていったのである。実際、新宿に居を構える筆者はその光景を目の当たりにしたが、文字通り、あれよあれよという間であったのだ。

言うならば、都市封鎖のイメージに震え上がった住民たちが、大急ぎで「巣ごもり」の準備を始めたというワケだ。

前記したように新宿の繁華街、なかんずく歌舞伎町の人通りは極端に減り、深夜営業をメインとしていたバーなども早じまいを始めているところである。その新宿近辺に住む人たちですら、巣ごもりの準備を始めたということは、新宿の夜の街に遊びにくるサラリーマンをはじめとする多くの主客たちの足が、さらに遠のく可能性は大きいだろう。

小池都知事のひと言がこのような状況を呼び込んだ、などと単純なことは言わない。が、少なくともおひざ元である新宿・歌舞伎町の住民たちは、「ロックダウン」というインパクトの強い言葉を敏感に感じ取った。それがこの先の不安となって、あらわれないことを祈るばかりだ。

三月二十五日

「感染爆発(オーバーシュート)」「重大局面」「得体の知れない感覚」恐怖心に畳みかける小池語録

新型コロナウイルスの影響は、すでに都市部だけの話ではなく、地方を含めた日本全体の問題となりつつある。そんななか、東京都は三月二十五日の水曜日に新規感染者の数が四十一人確認されたことを受け、都庁内で小池都知事が緊急の記者会見を開いた。

会見の内容をざっくりと言えば、この週末は不要不急の外出を避けて欲しい、そしていままで同様、夜間外出の自粛、そして可能であれば自宅で仕事をこなして欲しい……ということだ。こう書き記すと、これまでの生活行動への留意と変わらないようだが、都知事の言動はより踏み込んだラディカルなものであった。

まず会見中、「感染爆発　重大局面」と書かれたフリップを掲げ、「今週になり、オーバーシュートの懸念がさらに高まっている」と強い危機感をあらわにした。フリップは映像にインパクトを持たせて、より注意喚起を促したのだろう。しかし、「感染爆発　重大局面」と日本語で書いたフリップを掲げながらも、オーバーシュート＝感染爆発という〝外国語〟によって人々の耳目を集めるのは、ロックダウン＝都市封鎖同様に小池都知事の真骨頂(しんこっちょう)……というのが不謹慎なら、都知事なりの効果的なアナウンスなのだろうか。

いまひとつ、感染者中、感染経路を追えない不明者が十人以上含まれた四十一人という数に、「得体の知れない感覚」を抱いたとも都知事は発言した。もちろん、現状、多くの国民がこの新型コロナウイルスへ「得体の知れない感覚」を持ち始めているのは確かだ。

だが、ロックダウン、オーバーシュート、得体の知れない感覚……と畳みこまれるような語感は、人々に未知のウイルスへの危機感を持たせる効果はあるだろうが、同時に歌舞伎町などで苦境にあえぐ飲食店にとっては、より息苦しさを感じる言葉となったのではないだろうか。

また、この都知事の会見では新型コロナウイルス感染を防ぐため、以下の三つの〝条件〟を避けることを提示した。ひとつは、換気の悪い密閉空間、そして、多くの人が密集する場所、最後に近距離での密接した会話だ。いわば「三つの密」である。

小池都知事が会見で提示した三つの禁忌が、ウイルス感染をある程度防ぐであろうことは、素人でも理解できる。しかし、これら三つは人が普通に生活していく上では避けられない部分が相当数ある上、人によって危機感の違いもあるだろうから、そう簡単にはいかないと思われる。

そしてひとつ言えることとは、この三つの禁忌を提示されたことで、よりダメージを受けるであろう街が、歌舞伎町などの繁華街であるということ。ただでさえ、深刻な経営状況が続く店が多いなか、ロックダウン、オーバーシュート、得体の知れない感覚、そして三つの密を突き付けられた街は、今後どのように生き延びていけばよいのだろうか。

本番営業

「私がこの商売を始めたのはいくつの時だとおもう。十五よ、じ・ゅ・う・ご。みんなが高校に通って、やれ男とデートしただの、学園祭だのとキャーキャーいっていた時、私は汚いピンサロでオヤジのチンポをしゃぶってたわけ。ホント、イヤになっちゃう。

それから、今年二十五になるまでの十年間、ずーっとフーゾクの仕事しかしていない。ピンサロ、イメクラ、性感ヘルス……ともかく、なんでもやったわ。おかげで私のカラダはボロボロ。特にひどいのがアゴね。やっぱ、フェラのやりすぎなのかな、ご飯食べるのがかったるい時もあるくらい。

そんな時は、仕事にでるのがイヤんなっちゃう。でもね、最近いいことを思いついたんだ。何だと思う？……そう、やっちゃえば楽なのよね。ホンバンってやつ。これが一番疲れないんだ。どうやるかって？　簡単よ、お客さんに『あと一万円くれれば、もっといいサービスをしてあげるんだけど』って言うの。それだけでみんなノッてくるわ。

もちろん、お店には内緒。でも、効率いいし指名も増えるからやめられないんだ。実は他の女の子も結構やってるらしいよ。ウチの店は老舗で通ってるから、まさかと思うみたいだけど、ホントの話なの。

ただ、こういうウワサが流れるとケーサツがうるさいみたいで、店長なんかはピリピリしてる。でも、イメクラや性感などと違って、ウチはしっかりしている店だから、あんまりやかましく言われないみたい。あと、これは聞いた話なんだけど○久保の韓国エステなんかでも同じことをやってるコがいるらしいよ。やっぱ、一万円の追加料金をとって。まあ、あの娘たちは私たちより安いギャラでやってるからしょうがないとも思うけど」

1998年6月

第二章
正義の人々

二〇二〇年
四月～五月

二〇二〇年四月一日

小池都知事、西浦教授が知らない風営法「夜間から早朝にかけての接待飲食業の場での感染者」

二〇二〇年三月三十日夜に行われた小池東京都知事の〝緊急〟会見は、ある意味で示唆に富んだものであった。東京オリンピックの開催日決定という、現状ほとんどの国民にとって「不要不急」案件の報告もあったが、もちろん核心はコロナ禍だ。なかでも、バー、ナイトクラブ、酒場などへの出入りを控えて欲しいという要請は、様々な反響を呼んだ。

このバーやナイトクラブへの自粛要請は、東京都新型コロナウイルス感染症対策本部会議において、厚労省の対策本部クラスター対策班・西浦博北海道大学院医学研究院教授（当時）の報告によるものだ。

西浦氏によれば、感染経路不明な症例のうち、夜間から早朝にかけて営業している前述したような業種での感染例が増えている。よって、都としてはこれらの店舗への出入りを控えて欲しいというワケだ。小池都知事は、バーやナイトクラブに関して、「三つの密」

の条件を満たしている場合が多いことも、出入りを控えるよう要請する理由として挙げている。

この要請に関して、ツイッターをはじめとしたSNSやネットを見る限り概ね仕方ないとする意見が多い。しかし当然であるが、この出入り自粛要請が、コロナ禍で青息吐息のバーやナイトクラブを経済的にさらに苦しくするのは間違いない。また、緊急事態宣言が発出されれば、営業の自粛・休業要請が予想される。それらを強いる以上、(小池都知事も触れていたが)、国による一刻も早い補償を含む対策と、都の支援が必要だ。

さて、筆者が冒頭に示唆に富んでいると言った理由は、この小池会見においてクラスター対策班の西浦教授がグラフを使って、バーやナイトクラブなどでの感染増加の疑いを説明する際、「(東京都における孤発例の分析は) 特定業種に関連することが疑われる事例……」として、いわゆる風俗営業法で許可する店をあげたことだ。

特に、「夜間から早朝にかけての接待飲食業の場での感染者が東京都で多発していることが明らかになりつつあります」と述べた。しかしこれは、風営法の現状に関しての矛盾を見事に暴露している。というのも、実は風俗営業法 (当然スナックやクラブを含む) では小池都知事が言うような、「三つの密」が疑われる接待飲食店は原則、午前〇時をもって営業ができない (一部地域は午前一時) からだ。

今会見を素直に聞けば、孤発例が多くなっているとしてあげられた店舗を業種で言えば、キャバクラやデュエットのカラオケなどもできるスナックなどと考えられる。バーなどの深夜酒類提供店とは違い、これらの店舗は夜間から深夜にかけては営業できない……。

筆者はこれらの店を取り締まれという立場ではない。むしろ、現実に即した営業時間を認め、税収アップに繋げるべしという考えだ。しかしながら今回、小池都知事は、「夜間から早朝にかけての接待飲食業の場での感染者が東京都で多発している……」という理屈から、接待営業のみならず、大きな網で（接待営業とは違って）密着度が低いとみられる「バー」などへの出入りをも控えるように要請を出した。しかし、バーへの出入りが不可なら、カウンター居酒屋や割烹はどうするのか？　という話も出てくるだろう。

もちろん、「このような有事では、（海外のように）すべての飲食店を対象にすべし！」という声もあるだろう。だが、些細なことのようだが、風営法の現状を知っているとは思えないお上の判断でざっくりと（恣意的に？）物事が決まることに違和感を覚える。ましてや、（同じ）風営法の下にあり、三つの密の可能性もあるパチンコ店については、今次会見で触れられていない。

意地悪な見方をすれば、一部をスケープゴートにすることで利権を守る……とも言えよう。コロナ禍に最大の留意を払うのは当然だが、見るべきものは見る姿勢は大切だ。

四月七日

緊急事態宣言が発令
新宿・歌舞伎町はゴーストタウン
〝夜の街〟は『ポン引き』とマスコミ関係者しかいない

四月七日、東京をはじめとする神奈川・大阪など七都府県に、新型コロナに対する特別措置法に基づく緊急事態宣言が発出された。期間は連休明けにあたる五月六日まで。

宣言までにかかった時間について、世論は喧しいが発出されたいまとなっては、その検証は後の話だ。また、ロックダウンができないなど、その効力についても賛否があるようだが、その話をすれば特別措置法の国会審議に遡らなければならない。これまた、喫緊の論議ではないだろう。

さて、緊急事態宣言が出たことで、各都府県の首長たちの対応に注目が集まるのだが、とりわけ首都である東京に与える影響力は大きい。すでに小池都知事による〝自粛要請〟（妙な日本語なのだが）で都内には大きな変化があらわれている。

そのなかでも特に顕著なのが、リスクが高いと名指しされたバーやナイトクラブなど夜

人が消えた、えび通り周辺の居酒屋密集地帯（筆者撮影）

の街だ。一例をあげるなら、小池都知事が重ねて自粛を要請して初の週末にあたる四月三日の金曜日。都心であり最大の歓楽街・歌舞伎町を抱える新宿がわかりやすい。

まず、新宿駅東口にあり新宿の顔とも言える伊勢丹新宿店近辺。新宿通りと明治通りが交差する周辺は、通常の週末なら買い物客や遊興客であふれかえらんばかりになるが、伊勢丹が早じまいしたこともあって、十九時過ぎには人通りが極端にまばらになった。中心地でこのあり様なのだからあとは推して知るべしだ。

一方、新宿夜の顔・歌舞伎町も静寂のなかにあった。筆者が歌舞伎町に入って最初に聞こえた声はさくら通りにたむろするポン引き同士の会話。お仲間に「客はいるかい？」と呼びかけられた初老のポン引きは、「いねーよ！」と不貞腐れたような声で応えた。

初老のポン引きが言うように遊興客はまばらで、いつもならサラリーマンや学生で賑わう通称・えび通りと呼ばれる居酒屋密集地帯には歩く客がほとんどいない……。

さらに、人気ゲーム「龍が如く」シリーズでお馴染みの歌舞伎町一番街も、これまた人はまばら、むしろ「静寂の歌舞伎町」の画を狙ったマスコミ関係者（筆者もそのひとりだが）の姿が目立つという、なんとも皮肉な様相を呈していた。

今回、非常事態宣言が発出されたことで、この傾向に拍車がかかることは間違いない。感染拡大を避けるために致し方ないと言えばその通りかもしれないが、〝名指し〟で自粛を要請された側にしてみれば死活問題だ。

奇しくも四月三日の日経新聞は、「東京都、営業縮小のバー・クラブなどに支援金給付へ」と抜いた。真偽を確かめるべく、東京都産業労働局広報課に取材したところ、担当者は「なぜいま、この報道が出たのか……」「いまはそうだとも、そうじゃないとも言える（広報に）材料がありません」と困惑した様子。これは勘にしかすぎないが、今後なんらかの動きがある、と思わせるものがあったと記しておく。

補償案については、一部のネットなどで（多分に差別的に）水商売とくくり、「税金も納めていない」などと中傷する動きもあるが、バーなどの自営業者のほとんどはきちんと申告している。政治の怠慢のツケを、国民の分断に結びつけることは愚かだ。

いずれにしてもこの新宿の如く、より多くの都民・国民が巨大な試練に立ち向かう事になる。一人ひとりの覚悟はもちろんだが、政に携わる者の正体がより見えてくることもまた、間違いないだろう。

四月十四日

田崎史郎さん、感情論をテレビでまき散らすのは筋違い 特定業種へのヘイトを止めましょう

終わりが見えないコロナ禍で人々のストレスはたまる一方。そんななか、一部の人たちによるヘイトまがいの発言・行為が止まらない。

例をあげれば、政権寄りの発言を繰り返し、ある意味ネタ的な存在になりつつある政治評論家・田崎史郎氏（『ひるおび！』TBS系列）の四月十四日放送のコメントがわかりやすい。

田崎氏は、国による営業補償をすると際限がないと主張するなかで、唐突に「風俗店に

も補償をするのはどうなのか」という声もある、と言い放ったのだ。おそらく、風俗店の補償是非を話せば共感を得られると考えたのだろうが、あまりにも決め打ち、突拍子のなさに他の出演者たちには黙殺された。

確かに、風俗店への補償に関しては賛否があるだろう。しかし東京都の例をあげれば、まず業種を指定しての自粛要請という事実がある。また法的な根拠としては、（一部の違法店を除けば）きちんと国への届け出も済ませている。言ってみれば「お国が認めている」仕事なのだ。それをなかば感情論で非難するのは、筋違いとしか言いようがない。

さらに言えば、緊急事態宣言が発出された際、名指しされた事業者のなかには経営の行き先を考えて休業を躊躇（ちゅうちょ）する人もいたが、ソープランドなどの代表的風俗店は早々に休業に踏み切っている。これには、元来お上の言うことには逆らわないという風俗業界の体質も影響しているが、世の非難を浴びたくない、という考えが根底にあるのだろう。

このように、風俗業界に代表されるような特定の業種へのヘイトまがいの非難は、主としてネット空間でやり取りされることが多い。しかしその一方で、田崎氏に代表されるような大メディアからも、度々聞こえてくるのだ。どちらの影響力が大きいかについては議論があるだろうが、日頃公序良俗的な言説を繰り返している大マスコミには、より責任の重さがあると筆者は考える。

大マスコミと言えば、こんなこともあった。緊急事態宣言発出後初の週末、大阪の街をレポートする四月九日・デイリースポーツの記事だ。大阪ミナミの閑散とした状況を伝えたあと、休業が多いパチンコ店のなかで、〝JR新今宮駅周辺〟の複数の店舗は営業を継続していると報じた。

さらに、開店前の行列で半数程度しかマスクをしていなかったこと、列に並んだ無職の男性のコメントとして「感染者は北新地のクラブに行っているようなお金持ちだけだ。ここらの人間は大丈夫」と記したのだ。当然、ニュースサイトのコメント欄には（男性に対する）非難の言葉が並んだ。

緊急事態宣言下、パチンコに行く人に対し、非難の声を上げる人がいてもそれはおかしくない。しかし、デイリーはことさらJR新今宮駅周辺と、狙い撃ちしたようにレポートしている。地元の人ならわかるだろうが、ここは釜ヶ崎（あいりん地区）と言われるドヤ街だ。

そこは、高度経済成長期を支えてきた老いた労働者たちが住む福祉の街でもある。大阪に基盤をおくデイリーがそれを知らないハズはあるまい。いわば国家から取り残された人たちの背景を一切語らず、断片的な切り取りで報じるのは差別的ですらある。あるいは記者たちには、釜ヶ崎に行けば〝アナーキー〟なコメントが取れる……という期待があったのか？　それならなお一層、背景を語ることが大切だ。
ネットメディアに追撃されているとはいえ、まだまだオールドメディアの力は絶大だ。
これ以上「マスゴミ」などと揶揄されないよう、いま一度襟を正す必要があるだろう。

四月二十一日

「この店、営業してます！」「正義の人々」から、通報という名の「密告」五百件超

〈店名を晒すことに何の意味があるかって言ったら、要は、府に休業させる強制力は無いから、市民の皆さんでクレームの電話をいれるなり何なりして休業に追い込んでくださいってことでしょ。維新に逆らう輩には、嫌がらせして良いんですよって御触れみたいなもん。
https://news.yahoo.co.jp/pickup/6357725〉（二〇二〇年四月二十一日、本屋プラグヤシの木書籍みかん@books_plug、ツイッター）

コロナ警察、あるいは新型コロナ特捜隊とでも呼ぶべきか。新型コロナウイルスを警戒する「正義の人々」からの通報が多発している。四月二十日の共同通信が伝えた。

大阪府によると、二十日までの間に府のコールセンターへ、「(自粛要請)対象の店が営業している」といった通報が五百件以上寄せられたという。大阪府が休業要請を出したのが四月十四日なので、通報はここ一週間足らずの間の出来事になる。

その五百件が具体的にどのような業種なのかは詳らかではないが、ある意味、通報した人々は勤勉な方たちなのかもしれない。というのも、大阪府の休業要請は類似した業種のなかでも、対象だったり、対象外だったりしてその区分がわかりづらいとも言われているからだ。

例をあげれば書店は要請外だが、古書店は要請対象、同じく住宅展示場は要請対象でゴルフ練習場・バッティングセンターは要請外という具合だ。もちろん、休業を求めた業種には府なりの理由があるので、その是非はここでは論じない。が、その詳細な部分まで知って人々が通報しているのだとすれば、それはそれで労力を使った作業としかいいようがない。

もっとも、「正義の人々」の不安がそれで多少なりとも晴れたとしても、通報された側にしてみればそのままで済みそうもない。というのも、休業要請案を検討している時点から府は「協力しない」施設名の公表を匂わせていたが、このような通報が相次いだことで、施設名公表という対応強化を視野に入れているのだ。

実際、吉村大阪府知事は二十日の会見で、看過できないと判断したものに関しては、職員などを派遣し、それでも難しいと判断したら「施設名公表を伴う要請をしたい」と述べている。今週中にネットでの公表を目指すというから、すでにその作業に入っているのだろう。国民全体がコロナ禍と対峙するなか、休業要請に「非協力的」な事業者に行政がなんらかの手を打つこと自体は必要だろう。この吉村知事の方針も多数の支持を受けると推測される。

だが言うまでもないが、新型インフルエンザ等特措法による休業要請はあくまで、要請であり強制ではない。これは大阪府だけの問題ではなく、他の自治体も同様だ。それだけに、先鞭をつけた東京都だけではなく、大阪府などでも独自の休業補償を発表している。つまり、地方自治体側も、法とのはざまで苦しむ国民への対応に苦慮している様子が、見て取れるのである。

一方で、「ここが営業しています！」とばかりに通報に励む「正義の人々」が、そこまでの考えを持ってそのような行動をとっているかと言えば、正直疑問符がつく。ここまで通報、通報と言ってきたが、率直に言えばこれは「密告」である。奨励されるでもなく、自ら密告に励む人が少なからずいる……その事実に、薄ら寒いものを感じざるを得ない。

四月二十九日

ニッポン放送
「女性の職業への配慮に欠ける発言がございました」と謝罪
岡村発言があぶりだした世間の〝上から目線〟

『オールナイトニッポン』における「岡村発言問題」(「コロナが明けたら美人さんが風俗嬢やります」と述べた)が燎原(りょうげん)の火の如く広がっている。

四月二十七日、ニッポン放送は「コロナ禍に対する認識の不足による発言、また女性の職業への配慮に欠ける発言がございました」として、「放送をお聴きになって不快に感じられた皆様、関係の皆様にお詫び申し上げます」との謝罪文をHP上で掲載、鎮火を図った。

無論、この一文でことが収まるワケもなく、当初は東京スポーツ(四月二十七日)の取材に対して、「番組の中で起きたことなのだから、まずはニッポン放送さんに聞いてください」などと、やや木で鼻を括ったような対応を見せていた吉本興業も、五月一日に岡村隆史本人に釈明させざるを得なくなった。所属事務所の対応と世論の乖離を見ると、昨年起きた一連の〝吉本騒動〟はなんだったのか？　と言いたくなるが、いまはそれに触れまい。

有り体に言って岡村発言は、たとえウケを狙ったものだとしても論外であり、なんとも言い繕えるものではない。強いて言えば「それが（岡村の）ホンネだし、そう思っている男もいるのではないか」と開き直る方法も無きにしも非ずだが、その瞬間に彼の芸能人生は幕を閉じる。やはり、ここは平謝りに徹し、あとは〝芸能界の論理〟でテレビを利用して、幕引きを図ることになるのであろう。

そうなると、あとはこの岡村発言の直接の被害者（？）となる女性たちの立場だ。今回の発言が貧困問題の当事者たちに及ぼす影響については、すでにNPO法人ほっとプラス理事・藤田孝典氏などの専門家が積極的に発信しているので触れない。ここでは、もう一方の「当事者」である風俗嬢について考えてみたい。その一端を見るには、四月二十八日の橋本聖子女性活躍担当相の定例会見での言葉がわかりやすい。

橋本大臣は、ひとつひとつの芸能人の発言には「コメントを控える」としつつも、「さまざまな思いがあると思う。そうした発言がなされないような取り組みを、しっかりやっていかないといけないと改めて感じます」とやや論旨不明に述べた後、「政府として、女性が貧困によって望まない仕事に従事することのないようにしたい」と話したのだ。

つまりはこの場合、貧困によって望まない仕事＝風俗業ということである。長年、風俗業界を取材してきた筆者から見ても、確かにそのようなケースがあるのは事実だ。一方で、「お金を貯めたい」「欲しいものが買いたい」という理由からこの仕事を選ぶ人もいる。当たり前であるが、世の中はそんなに単純なものではない。

貧困によって望まない仕事に従事しないよう、社会の在り方を考えることは大切だ。しかし、橋本大臣の発言でもわかるように、いわゆるセックスワーカーについて語られるとき、世間はどこか〝上から目線〟で、そこには当事者がいないことが多い。今回のケースで言えば風俗嬢こそがそうであろう。

そう考えると、岡村発言は、下劣な欲望のみならず、社会に澱（おり）のように沈んだ無意識化の差別をもあぶり出す……とも、言えよう。

コラム

コギャル社交の誕生

「コギャル」……かつて世紀末ニッポンを駆け巡ったこの奇妙な子供達も、風俗業界就業年齢入り。悪名高き「流行性売春」の洗礼を受けた彼女たちを受け入れる風俗店側も（もちろん、今までにも確信犯的条例違反はまれにいたが）その扱いには相当頭を悩ませているという。そして僕の知人の女子大生社交（！）もそんな悩める人々のひとり。

彼女の務める渋谷のセクシーパブに正真正銘、去年まで女子高生だった十八歳の元「コギャル」が入店したのはつい先日のコトだった。女子大生社交もいわゆるギャル系（飯島愛風とでも言うべきか）と呼ばれる今風の女のコなのだが、その彼女をもってしても「コギャル」社交の突き抜けた行動は理解不能だそうで、彼女いわく「お客さんにタメ語を使うのは良いとしても（?）、なんていってもマズイのは時間を守らないこと。あのコ毎日遅刻してくるんだ。ウチの店は厳しいから罰金一万円も取られるのに。全く、なに考えてんだか……」

その他にも、コレといって大きな迷惑を被ったワケではないが、姿勢が悪い、だらけている、ミニスカートで接客中に足を組む（ぜひ、お目にかかりたいものだ）など、日常の所作に「なんとなく」イライラすることが多いという。まあ、僕から見れば子供が子供に腹を立てているようでおかしくもあるのだが、当人にしてみればとても深刻な問題だそうで、今現在も「カナリムカツク」状況が続いているというのである。

確かに、かつて買い手市場だった頃の風俗店とは違い、社交たちが店を選ぶのが業界の現状である以上、「接客業」という本来の意味での社交の質が低下するのはある程度は仕方のないところだ。

また大人たちが「今どきの若い連中は……」と憂えるのもよくある話で、その伝統が風俗界にも当てはまっていることは女子大生社交の憤りでもわかる。そして風俗界においてはその伝統こそが、実質的にギャルからプロ意識を持った「一人前」の社交へと成長していくプロセスを、正しく導いてくれる指針にもなっているのである。

その「一人前」の社交が多く集う風俗店に、二十代前半から六十代までのベテラン社交が在籍する「グランド・キャバレー」と呼ばれるモノがある。かつてキャバクラに勤め、現在は都内のグランド・キャバレーに在籍する社交によると、ベテラン社交の最大の美点は「だらけない。姿勢が良い」ということに尽きるという。もちろん足なんて組まない。

1998年9月

2021年4月、緊急事態宣言で休業要請にこたえた百貨店前。人出は予想外に多い（筆者撮影）

五月六日

エスカレートする自粛警察「コロナを拡散させている」非難、中傷が拡大中

多くの国民が予想していた通り、五月四日、政府は緊急事態宣言を全国で延長することを発表した。期間は五月三十一日まで。十四日をめどに専門家会議を開き、状況次第では解除前倒しの余地も残す。

この発表と同時に安倍晋三首相の会見が行われ、宣言が延長されたことに伴い経済的な負担にあえぐ国民への追加対策にも言及した。もっとも、例によってこれといった具体策はなく、今後、「命か経済か」という議論が国民のなかで加速化することは必至だ。

そんな中、ストレスマックス状態の国民の一部による、いわゆる「自粛警察」の動向が物議を醸（かも）している。具体的にあらわれたのは、大阪府が要請した休業に従わない業者への約五百件の通報電話であった。なかでも通報が多かったパチンコ店は、後に吉村知事が店名を公表し、その後、他の自治体も追随したのは承知の通りだ。

大阪府の対応は、パチンコという特殊な業態とギャンブル依存症の問題も相まって、大方の国民は行政を支持したように思える。しかし、これが成功体験になったのかはわからないが、自粛警察の業務範囲は大幅に拡大。その矛先を他の業種にも向け始めた。

その一例が、大阪府に通報があった業種のひとつである風俗業界だ。大手の風俗掲示板では、とある有名なソープ街がやり玉にあげられた。いま現在、営業している（とされる）店舗を実名であげ、「コロナを拡散させている」として店舗名のネットでの拡散を訴えているのである。

真偽不明のネットと言えばそれまでだが、中には具体例をあげて裏営業を示唆するものもあり、一見すると同業者から刺されたのではないか？と思える書き込みもあった。もしこれが拡散されて物議を醸すことがあれば、行政がなんらかの反応を示す可能性もあるだろう。

もちろん、コロナの収束が見えない中、濃厚接触の最たるものである風俗業が警戒されるのは仕方ない。しかしながら、行政が求めている休業はあくまで要請に過ぎず、法的に強制されているものではない。その行政の限界とは裏腹に、自粛警察は同調圧力が強い日本社会と相まって、格段の影響力を持ち始めているのだ。

確かに、「パチンコや風俗だろ。不要不急の最たるものだ」という意見もあるだろう。

また、そもそもそれらの存在意義を認めない人もいるかもしれない。だが、一部報道にもあったように、現在、自粛警察の警らは配信ライブを行うライブハウスや、苦衷の末、でき得る対策をとって営業を続ける居酒屋などへの非難・中傷にまで拡大。なかには、直接的な嫌がらせにまで発展しているケースもある。

弱い環（この場合は人々が共感しやすい部分）から絞めつけて、徐々にその範囲を拡大するのは密告社会ができ上がる典型例だ。パチンコ・風俗から始まって、ライブハウス・居酒屋……次は何がターゲットとなるのだろうか。行き過ぎた正義感への気味悪さを感じるのは、けっして筆者だけではあるまい。

五月十三日

「性風俗」が持続化給付金から除外
明日は我が身のお上の線引き

緊急事態宣言が延長されたが、東京や大阪など特定警戒都道府県を除き、別のフェイズに移りつつある。自治体によっては、休業要請解除・緩和に向けた動きをとるなど、経済復興に向けて舵を取り始めたのだ。また、懸案だった持続化給付金などの補償も、早いケースではGW明けから給付が開始された。

そんななか、二〇二〇年の持続化給付金の対象から「性風俗」が除外されたことが波紋を呼び、国会でも取り上げられる事態になっている。五月十一日の朝日新聞が報じた。四月の休業補償助成金においても、風俗業が一時対象外となったが、後に批判されたことで政府が撤回するハメになった経緯があった。それにもかかわらず、今度もまた経産省は、性風俗を給付の対象から除外したワケだ。

これに対し、十一日の参議院予算委員会で立憲民主党の石橋通宏参議院議員は、「今回また持続化給付金で風俗営業（正確には性風俗営業）に従事する人を除外している。なんでまた職業差別をするのか」と、見直しを求めた。

答弁を求められた梶山弘志経済産業相は、「社会通念上、公的資金による支援対象とすることに国民の理解が得られにくいといった考えのもとに、これまで一貫して国の補助制度の対象とされてこなかった」ことを述べ、今回も同様に対象に含まなかったと述べたのである。

大臣はタテマエ的には社会通念上と述べたが、要するにお上の判断ひとつで、この仕事には支払う、あの仕事には支払わないということ。今回、性風俗業が除外されたことをとってみても、キャバクラは補償されソープやヘルスは補償されない。これを職業差別と呼ばずしてなんと呼ぶのか。

ちなみに、一部ネットなどでは「税金もまともに払ってない」などの批判があるが、補償を受けるにあたっては事業申告の証明は前提。これらの批判は的外れと言っていいだろう。

そしてなによりも、スルーしてはいけないのは梶山大臣がサラッと話した「社会通念上」という言葉だ。これは、霞が関を中心としたお上は国民の職業に、必要であるもの、必要でない物の線引きをしているということだ。こんな恐ろしい話はないだろう。確かに国民感情の一部に、「性風俗なんて」という声があるのは認めよう。しかし、その国民の多くも〝選別される側〟であり、絶対安全地帯にいるいわゆる「上級国民」ではないことを忘れてはいけない。

今回の国会論議はいみじくも、お上のなかに厳然とある選民意識をあぶり出した格好だ。そんな空気を知ってか知らずか、首都・新宿歌舞伎町界隈ではGW明けを期して多くの性風俗店が再オープンした。都の休業要請はまだ続いているが、背に腹は代えられないということだろう。批判する声もあるかもしれないが、お上から選別され切り捨てられる立場であることを考えれば、気持ちはわからなくもないのだ。

ボッタクリ社交？

二〇〇〇年、東京都はいわゆる「ボッタクリ条例」を施行した。条例施行に関する当時の報道を見ていて、ふと気になったことがあったので書いておきたい。

いわゆる「ボッタクリ」事情に関して、業者（店）サイド、あるいは被害者（客）サイドのコメントは多数見受けられた。だが、なぜか肝心な社交（ホステスの旧称。本コラムでは広義の意で風俗嬢も含む）の姿は、ほとんどと言っていいほど見られなかったのである。いかに「ボッタクリ」店とはいえ、社交の存在なくして成り立たない。当然のことながら数多くの「ボッタクリ」店がある以上、数多くの「ボッタクリ」社交（？）も存在するハズである。彼女たちの存在にも留意しなければ、報道も画龍点睛を欠くというモノだろう。ここらへんにも、テレビや大手マスコミの「社交」蔑視のスタンスが見て取れる。

僕の見るところ、彼女たちは大きく二つのパターンに分かれる。一つは、「ボッタクリ」と知らないで面接を受け、仕方なく働いている女のコ。もうひとつは、「ボッタクリ」と知っていて確信犯的に働いているコ。このいずれかである。

通常、女のコが社交として働きだす場合、スカウト、知人の紹介、あるいは情報誌といったところが窓口になっている。その中で「ボッタクリ」店に入店する可能性が最も高いのは、実は情報誌ではないか、と僕は思っている。それも、風俗情報誌よりも一般誌（求人誌、夕刊紙など）のほうがより危険性が高いように思えるのだ。実際に僕自身、誰でも知っているような求人情報誌を見て、「こんな店を載せて大丈夫なの？」と目を丸くしたことがあった。

以前、摘発された歌舞伎町のある「ボッタクリ」グループに勤める社交は、厳しいノルマと強圧的

コラム

な幹部の態度に怯えて、退店することもままならなかったという。この場合、やはり社交も被害者と言える。掲載誌には最善の留意を求めたいものだ。

逆に社交も納得の上で、いわばグルとなって「ボッタクリ」に勤しんでいることもある。この場合は大方、口コミや一部悪徳スカウトマンによって社交の確保が行われるようだ。僕の知り合いの社交も、「ウチはボッタ（くり）だから、サービスはほとんどしなくていい」とスカウトされたことがあったという（ちなみに彼女は入店をしなかったが）。「ボッタクリ」店に勤務する社交までを非難するのもどうかと思うが、社交自身のことを考えるならば、なるべくそのテの店には近づかないほうが賢明だろう。ほとんどの「ボッタクリ」店の経営者は、とても「まっとう」とは言えない人種ばかりだ。ギャラやセキュリティひとつとっても通常の優良店とはそもそも「システム」も違う（もっとも、それでも良いというなら話は別だが……）。

2000年12月

五月二十日

絶息状態の街
コロナ収束後の
〝ボッタクリ〟は過酷だ

特定警戒とされた八都道府県を除いて、緊急事態宣言が解除されたことで、少しずつではあるが街に日常が戻りつつある。もっとも、上から目線で批判をあびたコロナ対策担当、西村経済再生担当大臣の「気の緩み発言」でもわかるように、まだまだコロナ禍が一掃されたワケではない。

そんな状況下ではあるが、四月七日の緊急事態宣言発出から現在まで、東京新宿・歌舞伎町の動きから見えてきた繁華街の動態を、一度立ち止まって総括してみたい。

結論を言えば……海外基準で見れば要請レベルでここまで従うのか、というほど休業が多かった反面、それぞれの〝事情〟で営業を続けるところは続けたということになる。

代表例としてあげるのは、ここ十年ほど無店舗型に主役の座を奪われた性風俗店。持続化給付金の対象から外された（現在も議論は続いている）こともあり、連休明けからほとんどの店が営業を再開したが、それまではほぼすべての店は粛々と休業要請に従った。業種で言えば、ソープランドやファッションヘルスなどがそれにあたるが、特にソープランドは筆者が確認した限りでは営業を続けたところはなかった。ファッションヘルスも営業三十年以上の人気老舗ヘルスなどが休業要請に従い、文字通り歌舞伎町の店舗型性風俗店はその期間、消えうせたのである。

一方で、名前はあげないがごく少数のヘルスなどが営業継続を選んだ。しかし、前述したように有名店のほとんどが休業したことにより客足自体が途絶え、歌舞伎町は事実上絶息状態になったのである。このような状態で、一番ダメージを負ったのはいわゆる客引きであろう。彼らは平時と同様、勤勉に昼夜仕事に勤しんだが、いかんせん客自体がいないのだからお手上げ状態にならざるを得なかった。

まあ、彼ら客引きが紹介する店はほぼ「ボッタクリ店」（気持ち的には一〇〇％と断言したい）なので、客の被害が極めて少なかったのは不幸中の幸いと言ってよい。しかしながら、彼らとて生きていかなくてはならないので、穴埋め的な巻き返しを狙っていることは容易に想像できる。

特定警戒地域である東京都の場合、宣言解除後に鼻の下を長くして歌舞伎町を歩く客がいればそれは格好のターゲットとなるハズだ。コロナ収束後しばらく、歌舞伎町ボッタクリ事情はより過酷なものになる！　と予想しておこう。

最後に触れておくのは、コロナ禍であろうと「必要不可欠」なもの、どうしても需要があるものは営業を続けるということ。その一例として、歌舞伎町の「覚せい剤ルート」は緊急事態宣言下でも機能していたことは付け加えておく。

これらは、五月十七日に愛知県で闇賭博店が摘発されたことでもわかるように、依存症の〝客〟がいる限りシノギは続けられるということ。もっとも、これはごく限られた人の話であり、フツーの人間には関係ないことではあるが。

総じてみれば、日本独特の同調圧力があるとはいえ、街はよく耐えている。たとえ性風俗店が給付の対象から除かれたとしても、だ。要するに歌舞伎町もまた、極めて日本的な優等生の街だったのである。

五月二十七日

博多で十七歳少年逮捕「アフターコロナ」、全国の歓楽街でダークな男達が手ぐすねを引いて待っている

機を見るに敏な人間はどこにでもいるが、この場合は詰めが甘かったようだ。五月二十五日、福岡県警博多署は県の迷惑防止条例違反の疑いで、自称無職の十七歳の少年を逮捕した。毎日新聞などが伝えた。

少年は同日の午後三時過ぎ、博多区川端町の路上で「キャバクラからAVまで扱っています」と道行く女性に声をかけたという。要するにスカウト行為だが、実はこの女性、繁華街でスカウト行為が横行しているという市民の通報を受けて警戒していた警察官だったのだ。

現場となった川端町は九州一の歓楽街・中洲から川一本を挟んだ隣町。「中洲の女」も多く住むだけに、効率的と思ったのだろうが、まんまと網に引っかかった形となってしまった。

普通、十七歳でスカウトマンというのは、逮捕された場合、（雇った側も）青少年保護育成条例などでつつかれることを考えれば二の足を踏むものだが、ここら辺の大らかさ（?）に九州らしさを感じなくもない。

警察の調べに対し少年は、「（コロナで）金に困っている女の人がいると思って」声をかけたと供述しているという。例の岡村発言を真に受けたのかどうかは知らないが、大きな意味ではこれもコロナ騒動と言えよう。このスカウト活動、実は五月十四日の緊急事態宣言明けから顕著になった。それまではスカウトも自粛していたワケで、要するに金に困っていたのは道行く女性ではなくて、スカウトする側だったという話である。

このように、五月二十六日をもって緊急事態宣言が全国で解除されたことを受け、経済活動も徐々にではあるが再開してくる。しかし、この少年のように〝ダーク〟な職業の場合は蓄えも少なく、いままでの枷（かせ）を外されれば一気に損失分を取り戻そうとするだろう。そういった意味で、この博多でのスカウト騒動は歓楽街で起きる出来事の先駆けにすぎない。客側としては、スカウトはもちろん、ボッタクリ店なども手ぐすね引いて待っていると考えたほうがいい。

もっとも、多くの真っ当な歓楽街の店舗はコロナ禍が通り過ぎるのをただひたすら耐えてきた。東京都などでは休業要請解除が段階的なこともあり、いま少し我慢の日々が続くが、それでも各店舗は「コロナ後」を見据えた動きをとっている。特に人材が命のクラブやスナックなど接客業では、苦しいなかでもホステスの確保に全力をあげてきた。そしてそれが、解除後の大きな力になりそうな気配だ。言うまでもなく、客が取れる女（男）は最大の財産であるからだ。

アフターコロナの歓楽街は、スカウト騒動で見られたような後がない状態の店舗と、人材確保ができた店舗の間で大きな違いが出てくるだろう。平等がウリの水商売にも、「格差」が出現することになるのか。

いまや主流は「学士社交」

「六本木の『B』っていうキャバクラにスカウトされたんだけどさ」

「時給三千円くれるんだって、いいと思わない？」

「センター街を通るたびに、声かけられてウザイんだよねえ」

　仕事柄、この手の相談事は結構多いのだが、立場上、一般的なアドバイスはするが具体的な内容には関知はしない、というスタンスをとるよう心掛けている（それこそ、ホントの女衒になってしまう）。

「ワタシがキャバクラでバイトしていることは内緒なんだけど……なんで、みんなワタシに聞くのかしら」

　知人の女子大生のボヤキは、まあご愛敬だが、女子大生の中に意外と多くの社交予備軍がいるという事実には驚いた。以前、池袋のＡＦ専門店に東京大学の学生がいたということがあったが、恐らく、僕の想像以上に「学士（将来のネ）の数はふえているのだろう。この「学士社交」や「コギャル社交」の登場は、なにかと偏ってみられることの多い風俗業界にとっては、明るい話題と受け取ってもよいだろう。

　しかし一方で、学校をリタイアしたり、昔、ちょっと「おイタ」をしちゃったというような、いわば「伝統社交」（とでも言うべきか？）が現在の風俗業界で主流を占めているのも事実。もちろん、どちらのタイプの社交も今風の女の子であり、大きな違いというものはないのだが、それでもあえて彼女たちの間に違いを見つけるとすれば、それは男性観の違いであろう。

　社交に淡い感情を持っている読者には申し訳ないが、僕が今までに会った社交のなかで彼氏がいない、という女の子は皆無に近かった。というよりも一般の女性たちよりも、その比率は高いと思

コラム

う。もちろん、「男に収奪される可哀想な女」という図式はほとんど見られなかったが、ただ、生活全般における男に対する精神的依存度は、かなり高いように見受けられた。

　歌舞伎に「間夫(まぶ)がいなけりゃ、女郎は闇よ」というセリフがあるが、まさにその通り、「伝統社交」たちの多くが、間夫＝彼氏の存在をよすがに生きているのである。

　僕の知人の女子大生社交もそうなのだが、どちらかというと「自立して」「男に頼らない」女性が多くなりつつある現在、多くの「伝統社交」がドロッとした情念のような恋愛をしているというのは、情というものが芸になる風俗業界にとっては、決してマイナスではないだろう。

　知人の女子大生社交への相談のなかには、こんな話もあった。

「新宿のヘルスにスカウトされたんだけど、その店ってボッタクリなんだって。だから、なにもしなくていいって。ラッキーじゃん、ワタシやってみようかな！」

1998年2月

第三章
「夜の街」叩き

二〇二〇年
六月～九月

二〇二〇年六月二日

営業再開に冷や水を浴びせた都知事「東京アラート」のパフォーマンス

五月二十六日より東京都は、段階的に休業要請を緩和する方針を決定した。これにより、歌舞伎町などのバーや飲食店は、深夜二十二時までの営業が可能となり、実際、先週金曜日の二十九日くらいから、チラホラと時短営業で再開する店が増え始めた。歌舞伎町で二軒のバーを経営する女性はこう話す。

「うちの場合、スタッフは専属の社員として雇っているだけに、正直、緊急事態宣言での協力金や雇用調整助成金だけでは厳しいものがあった。ただ、それでも資金繰りのほうは貯蓄を切り崩すなどして、なんとかしのいできた。それよりも、問題は休業中のスタッフのモチベーション維持が大変。あのコたちはうち以外で仕事はしていないから、店に来なければ人との接点は極端に少なくなる。なんだかんだ言って、この仕事をしている人はみな人好き、お客さんと会話をすることも生活のアクセントになっている。それが封じられているから、ストレスが溜まっているのがよくわかる。そういうスタッフのケアも考えなくてはいけないし、経営する側としてはホントにしんどい」

この女性経営者の店も、緩和によって二十二時までの時短営業で再開をした。が、しかし、新しいスタイルでの営業再開からわずか三日、六月二日には、都内で三十四人の新型コロナウイルス感染者が判明。即座に都知事肝いりの「東京アラート」を発動したのだ。マスコミなどで報道された通り、この東京アラートとは、発動＝即休業要請というワケではないが、「ステイホーム」を促すとともに、三密の回避など、コロナへの警戒を意識させるというものだ。

そして実際にそれが発動されて、まず行ったことが歌舞伎町からもさして離れていない、東京都庁舎とお台場にあるレインボーブリッジを赤く点灯させたこと。赤信号とストップをイメージしたのかどうか、その意図はわからない。しかし、有り体に言えばライトアップだ。これが注意喚起だ！　と言われればそうなのかもしれないが、どこかパフォーマンスの匂いも感じさせなくはない。

その晩、歌舞伎町を含む新宿で数軒のバーを経営する別の女性経営者は、自身のSNSに、「マンションから赤い都庁が見える」と写真をアップした。ここ最近、SNSで客の不入りとコロナへの怨嗟（えんさ）を書き込んでいた彼女は、特に感想を書くワケでもなく、ただ都庁が赤くなったことだけを記したのだ。筆者が見ているかぎり、歌舞伎町の住人たちの多くが、現状でできることはやりきっている。そんな彼らにとって、ステイホーム、ロードマップ、東京アラート……都知事の踊る言葉は、どのように聞こえるのか。

六月三日

東京・新宿に感染者集中!? マスクなしの酔客溢れる歌舞伎町店の努力も水の泡

全国的に緊急事態宣言が解除されてから一週間。一部の人たちには「収束ムード」すら見受けられるが、そんなおりに警報が発せられた。いまだ全面的な休業要請解除には至らず、段階的解除の途中にある東京都の歓楽街にコロナ感染者が集中しているというのだ。

都によると、緊急事態宣言解除後から六月一日までの間で九十人がコロナ陽性と判明。そのうちの約四割がいわゆる歓楽街で感染した可能性が高いという。そして、その歓楽街のうちの約半数が新宿に集中しているというのだ。

新宿歌舞伎町でバーを営む女性はこう証言する。

「五月二十九日の金曜日から、二十二時までの時短営業で再開しました。ビニールシート、消毒液、事前電話&席を間引いて距離をとるなど、できる限りのことはやっているつもりです。ところが、二十二時に店を閉めて帰宅のため新宿駅に向かったら、もう酔っぱらいでいっぱい……さすがに怖くなって、地下鉄で三つの駅を歩いて帰りました」

緊急事態宣言解除後初の週末で、気が緩む条件が重なったこともあるのだろうが、女性が人混みに恐怖を感じたというのは相当なものだ。実際、筆者も歌舞伎町を中心に当日の街を見たが、コロナ以前と同じとまでは言わないが、七～八割ぐらいの人混みはあったように思える。コロナ感染拡大以降、一～二割の人混みで推移したことを考えると、文字通り溜まっていた鬱憤（うっぷん）が一気に出た感じだ。

そして、なによりも驚いたのは相当数の人がマスクをしていない、人との距離をおかない……など、コロナに対する警戒心が緩くなっているということ。アルコールが入って気が大きくなっていることもあるかもしれないが、わずか一週間足らずの間の変化には危機感を覚える。

前述の女性同様、歌舞伎町でバーを経営する女性は、より警戒感をあらわにした。

「これまで、二カ月以上休業してきたけど、スタッフのことも考え、再開することにしました。ただ、いまでもコロナが怖いのは事実。スタッフの女の子には仕切りシート＋フェイスシールドをしてもらい、消毒も徹底しているけど、それでも恐怖感は拭えない。正直、私たちができることには限界がある。しばらくは一見（いちげん）の客は断ろうと思っていますし、常連さんにも強く注意喚起を促します」

コロナは怖いが、これ以上の休業は「経済的な死」をも招きかねない……まさに、退くも地獄、進むも地獄での苦衷の判断であろう。もちろん、すべての店が完璧とは言えないかもしれないが、ほとんどの店は最大限の対策をとった上で営業を再開している。小池知事の発言から、〝リスク〟地域とも取られかねない新宿では、なおさらそうだ。

こうしてみると、街にあふれる酔っぱらいが証左であるように、今後は客側の自覚の有無が大きいように思える。飲みに行くのは自己責任かもしれないが、店舗側の自助努力を無にするようなことは厳に慎むべきだろう。

六月十日

「全従業員が陰性」がお上を刺激！フェイスシールド捜査員の〝一罰百戒〟大阪・店舗型風俗の摘発

目立つとやられる、というのは風俗業界の常識だが、今回はそれ以外にもお上の思惑があったのではないか。六月三日、大阪府警生活安全特別捜査隊は風営法違反の疑いで、大阪府枚方市のピンクサロン「H」の店長ら四人を逮捕した。大手マスコミ各社が報じた。

容疑は五月二十日、店舗型風俗が禁じられている京阪枚方駅前の風俗ビルにある同店で、三十代の男性らに性的なサービスをしたこと。逮捕された店長らは容疑を認めているというから、事実関係には問題がないのだろう。

しかし、テレビや新聞が報じない（彼らにとってはどうでもよい）詳細をみていくと、疑問符がつく。まず、なぜいま？ ということだ。「H」はなにも昨日今日営業を始めたワケではなく、平成の時代から風俗ファンの間では〝優良店〟として知られていたという。今回、府警の生活安全特別捜査隊が摘発したが、それまで地元の所轄は動かなかったのだろうか。

筆者は摘発しろと言っているのではない。おそらく地元密着の風俗店で、なかば黙認という形であったのではないか。住宅街ならともかく、駅前などであればその程度の目こぼしは怠慢とは言えまい。

いまひとつ、なぜいまなのか？ これは、まだ府の休業要請が続いている五月の連休明けから営業を始めたことが関係しているのかもしれないが、それを言うなら同様の他店は多数ある。首都東京・新宿歌舞伎町の風俗店の多くも（休業要請解除を待たず）連休明けから営業を開始した。もちろん、営業可能地域か否かは大きな問題だが、そうなるとやはり、今までの黙認がなんだったのか？という話になってくる。

ひとつのファクターとしては、「H」がHPなどで「全従業員が（コロナ）陰性」とうたったことがあげられよう。自粛要請に従わなかったことは許そう、禁止地域であることもギリギリ許そう……だが目立つのはお上に対する挑発であり、到底許すことはできないということだ。府警が直々に出向いていることでも、その〝意気込み〟がうかがえる。

大手マスコミは「H」に踏み込む捜査員がフェイスシールドでガードしている場面を大きく取り上げていたが、これも考えてみれば少々大げさで、古くはオウム真理教事件でのカナリアの籠を持った捜査を彷彿（ほうふつ）とさせるような、画的な効果を狙ったのではないかと穿（うが）ってみる。

しかし、なによりも穿ちたいのは一罰百戒効果によるコロナ禍への影響だ。新規感染者ゼロが続く大阪府のみならず、どこの自治体も経済重視で人々の活動再開を促している。それでも、東京のように再び感染者増加となれば世論が気になる。そのときのために、スケープゴートを用意し、国民間の分断を生んで批判をかわすというやり口だ。

幸か不幸か、東京ではホストクラブというなにかと物議を呼ぶショーバイがクラスターとなったことで、小池知事は「夜の街」をやり玉にあげることができた。そのやり口は功を奏し、ネットなどでは「悪いのは水商売！」と断言する人まで出ている。アフターコロナの時代、水商売ならずなべての商売が新たな方策をとらざるを得ないなか、お上による分断政策には危惧を感じざるを得ない。

六月十七日

「歌舞伎町＝悪の街」完成
都知事選目前
なぜ他の街で集団検査をしないのか

有名ホストクラブで生じたコロナクラスターに端を発した新宿・歌舞伎町への非難が止まらない。そんな中、六月十五日にはワイドショーの女性リポーターが、生中継中に男性に絡まれるというアクシデントが起き、「やっぱり、歌舞伎町は怖い」というイメージが増幅されてしまった。

すでに、スポーツ紙などでも報じられているが、問題となったリポートは『情報ライブミヤネ屋』での話だ。東ふきリポーターがコロナクラスター発生後の歌舞伎町リポートを行っている最中、赤信号を渡ってきた中年男性にジャブ（？）のようなものを繰り出されて困惑する場面が映し出された。スタジオの宮根は「大丈夫？」と問いかける……というほんの数秒の出来事だった。

男性は酔っぱらっているのか、それ以外の理由があるのかはわからないが、本気で殴り掛かるというよりは悪ふざけ気味、根本的にはリポーターの後ろでVサインをする連中と変わらない。確かに態度が急変して致命的な行動を起こさないとは言えないが、現場でリポートする以上はそのようなリスクはつきまとう。ついでに言うならば、リポートは「一番街」から靖国通りを渡ってJR新宿駅東口側で撮影しているため、万が一、致命的な事件が起きた場合の「現場」は歌舞伎町ではなく、新宿三丁目である。

現在の歌舞伎町を取り巻く状況は、図らずもこのミヤネ屋でのハプニングがわかりやすく証明した。正体不明の恐ろしい男がいきなり女性リポーターに殴りかかる街……もともとのカオスに、コロナクラスターも相まって「悪の街」のイメージは完成する。その場合の歌舞伎町は、行政区分の歌舞伎町だけではなく、隣接する新宿三丁目、五丁目、七丁目、西新宿七丁目等も含まれるのだろう。

また、そもそもの原因となったホストクラブのクラスターにしても、集団検査を行ったことで大量の感染者が発覚している。ホストクラブを庇（かば）うつもりは毛頭ないが、歌舞伎町だけではなく、他の街、渋谷や池袋、また感染ゼロが続く大阪ミナミなどでも集団検査をすれば、無症状の感染者が出てくる可能性はあるのではないか。
そう見ていくと、歌舞伎町（とその周辺）にすべての厄災＝コロナの原因を押しつけて、根本的な対策から目を逸らさせようとしている、お上の思惑を感じずにはいられない。それには、七月五日の都知事選挙も無関係とは言えまい。そもそも論を言えば、歌舞伎町が悪いというが都庁のおひざ元、都知事にとっては目の前の庭である。街が悪いというなら、都やリーダーの責任も問われるハズだ。そこを無視してセンセーショナルに取り上げる大マスコミも、また同罪である。

六月二十四日

「夜の街」に光が見えない緊急事態宣言解除後、〝客引き〟の摘発が増加食い詰め寸前か

緊急事態宣言明けの風俗業界は、一段と厳しさを増しているようだ。感染者が高止まり

している状態の東京は別格としても、落ち着きを見せてきたとされる地方の風俗街も厳しい状況には変わりはないように見える。

六月十三日の地方紙・河北新報によると、仙台市中心部で摘発・警告を受けた客引きが、緊急事態宣言が明けてから急激な増加を見せているというのだ。宣言中（四月十六〜五月十三日）はゼロだった逮捕者数が、解除後は六人に増えたという。宣言前は三カ月で八人の逮捕だったというから、やはり解除後は堰を切ったように、客引きが動き出したというのが実情だろう。

河北によれば、逮捕された客引きのほとんどがフリーで、なかには十九歳の少年もいた。彼らの報酬は完全な歩合制の場合がほとんどなので、逮捕者がいなかった時期は逼塞（ひっそく）していたと考えると、文字通り背に腹は代えられないという……というより、食い詰め寸前だったと考えていい。

基本的に筆者は、小さな地方都市を例外（この場合は、純粋に水先案内人の場合がある）とすれば、大きな歓楽街の客引きにはぼったくりも多いので、警戒するべしというスタンスだ。特に新宿・歌舞伎町に代表されるような、東京の大歓楽街の客引きは極めてぼったくりが多いので、彼らの口車に乗ってはイケナイと再三、指摘している。それだけに客引きに同情する気にもなれない。

ちなみに、仙台で逮捕された十九歳の客引きは「コロナの感染拡大で生活費に困り、見よう見まねで始めた」と供述しているそうだ。十九歳の少年の〝見よう見まね〟に頼らなくてはならないというところに、地方の風俗の厳しさが見て取れる。このコロナ禍で、スカウト自身も疲弊してしまい、もともと（金銭的に）体力がない彼らが、淘汰されていったということではないのだろうか。

こうしてみると、アフターコロナの風俗街がどう生き残るかのデザインは、正直なかなか見えづらい。

客自体が減っているということは、当然、風俗嬢の稼ぎも減っているワケで、彼女たちも苦しい生活を強いられている。これは、いわゆる性風俗だけの話ではなく、キャバクラやガールズバーも同様である。筆者の知り合いのなかには、東京での生活を一旦切り上げて、地元（実家）に戻ってしのぐ女の子もいる。

光が見えない風俗業界だが、少なくとも「健全営業」の努力をしてきた店舗たちにはなんとか踏ん張ってもらいたい。追い詰められた一部ぼったくり店などの跋扈（ばっこ）が、世間一般の風俗全体への指弾に繋がりかねない状況下だけに、なおさらのことである。

七月一日

都知事選PR動画に「夜の街」
小池都知事の究極のご都合主義

首都東京の知事を決める投票日まであと僅かとなった。

コロナ禍に加え、与党と野党第一党が腰砕けとなった候補者選びなどもあって、都民のシラケムードが漂うなか、各種の調査で現職小池知事が大きくリードを広げている。

そんな状況下だからか、余裕綽々(しゃくしゃく)(?)の選挙戦を見せている小池知事は、東京都下各地域へ個別の「メッセージ動画を送るという戦術」にでた。東京には二十三の区と二十六の市、五つの町、八つの村があるので、一見ご苦労にも思えるが、(コロナ禍ではなく)各地をどぶ板で回ることを考えれば、いかほどのことでもあるまい。

そのメッセージ動画のなかで、筆者が注目したのは新宿区民にあてたメッセージだ。

六月二十四日に配信された「新宿区のみなさまこんにちは」から始まる動画は、

「新宿区には歌舞伎町に代表される世界的な規模を誇る歓楽街があって、普段は国内外からのお客様で大変な賑わいをみせていたところ……」

と、観光都市東京のなかでも、来日外国人がもっとも立ち寄る場所である新宿区をたたえるように持ち上げた。そこから、コロナ禍での区民の苦衷に入っていくワケだが、それでも、

「事業者のみなさまに感染拡大の防止、ご協力をいただいてまいりました。心から感謝を申し上げます。もちろん、区民のみなさまのご協力、ありがとうございます」

と当事者たちに謝意を示し、「いわゆる夜の街」にはPCR検査に「実は積極的にご協力をいただいて……」「業界ごとにガイドラインの徹底」と事業者たちの自助努力を強調したのである。

選挙のための動画であるので、ある程度は仕方ないのだろう。しかし正直、それでも筆者は鼻白む気持ちを抑えられない。

経済活動再開後、都内のコロナ感染者が高止まりしている状況を、「いわゆる夜の街」……具体的に言えば、新宿にすべての責任があるかのように、会見等で印象づけてきたことを考えれば、究極のご都合主義としか言えない。

確かに新宿のホストクラブでクラスターが発生したのは事実だ。だが知事自身も言っているように、集団検査の結果、感染者数が多くなっている可能性は高い。

「夜の街」を非難する人々も、新宿のホストクラブやキャバクラだけにコロナ感染のリス

クがあり、他の街……六本木や渋谷にないと考えるナイーブな人間は少ないはずだ。そしてまた、過密な通勤や在宅ワークを解除した企業なども、感染リスクには含まれるであろう。

事実上、ひとつの街に責任を押し付け、（都内の感染者増という）本質的な問題点から目を逸らさせる（ような）発言を繰り返してきた小池知事。そんな彼女の選挙動画での発言は、新宿区民ならずとも空疎（くうそ）に感じるのではないだろうか。

つけ加えて言えば、知事は「新宿はダイバーシティの街です」「まさに多様性に富んだ発展を続けてきた新宿です」「（自身は）ＬＧＢＴ差別などの根絶を目指して」と耳触りのよい言葉を数多く連発していた。

そこまで言うのならば、再選をした暁には（するだろうが）、是非おひざ元の再建に汗をかいて欲しいものだ。

七月十五日

止まらない新宿バッシング「感染者に十万円」区長判断はベターだ

三月三十日の小池都知事の会見でいわゆる「夜の街」への自粛要請がなされて以降、感染拡大の〝主犯〟と名指しされている東京、特に新宿へのバッシングが止まらない。

菅義偉官房長官による「（コロナ拡大は）圧倒的な東京問題だ」とする指摘と、それに反論する小池知事のバトルが話題になったが、そもそも菅官房長官にしても、「感染拡大を防ぐと同時に社会経済活動を徐々に復活させていく」と舵取りが難しいことを平然と言い切っている。実際、七月二十二日からは一兆六千七百九十四億円を投じた「ＧｏＴｏトラベル」も始まるが、これに対する政府への批判も少なくはないのだ。

さて、問題は東京、特に新宿バッシングだ。ワイドショーが盛んに取り上げている「シアターモリエール」のクラスター発生についても、ネットなどでは、「また、新宿か」という声が上がっている始末である。検証が終わっていないなかで断定はできないが、今回クラスターを起こした主催者側に見通しの甘さはあったのだろう。しかし、「楽屋が八畳しかない」ということまで取り上げて、「クラスターが起こって当然！」と批判するのはいかがなものか。

シアターモリエールはオープンしてから三十年以上たつ老舗で、小演劇界隈では著名な劇場だ。しかし、その著名な劇場にしても八畳の控室しかないのが現実で、またここ独自の問題でもない。日本全国、多くの小劇場に共通するものと言ってもいいだろう。しかも今回の当該公演は、一応は〝国のガイドライン〟に従った対応をとっているのだ。

つまり、今回の主催者が脇の甘さを指摘されることはあっても、一義的な「責任」は経済を再開させたい国にあり、個々の人や団体に責任のすべてを被せるのは、一種の目くらましにすぎない。いわんやシアターモリエールが新宿にあることで、「やっぱり新宿……」などと批判することが、的外れなのは言うまでもない。

新宿批判で言えば、区が独自に行ったコロナ感染者への十万円の見舞金支給についても否定的な意見が多いようだ。しかしこれは、吉住健一区長が歌舞伎町の（風俗業界の）特殊性を鑑みて、発生を隠蔽させるよりはあぶりだしたほうがよい、とした判断に基づいている。実際、区長自身もテレビのワイドショーでその趣旨を述べた。

筆者も三十年以上歌舞伎町を取材しているが、この街の「事情」を考えれば吉住区長の判断はベストとは言い切れないまでも、ベターの政策と言えるだろう（別に区長の支持者でもなんでもない。為念）。世間がそれでも納得がいかないというなら、歌舞伎町自体（新宿自体）を封鎖するしかないだろう。もちろん、この場合は池袋や渋谷、六本木、あるいは他の大都市の歓楽街も同様な措置が必要だ。そんなことが現実にできるハズがないではないか。

いずれにしても責任の所在を個々に当てはめて糾弾することは、時に本質を見誤ることにもつながる。この場合は、東京が悪い→特に新宿が悪い→なかでも〇〇（ホストや小劇場）

という論法だ。結果的に、より大きな責任があるハズの政府の政策を〝擁護〟することともなり、コロナ禍を一層カオスにしかねないであろう。

七月二十日

札幌・ススキノのクラスター　なぜ「おっぱいパブ」はクラスターを発生させるのか

世間にインパクトを与えた札幌・ススキノの「キャバクラ」で発生したクラスター。客ひとりを含む十二人が感染し、そのほか多数の濃厚接触者にも感染の疑いがもたれるなど、道民に恐怖を与えている。

世間的には「また、キャバクラか」という声も大きそうだが、今回、筆者は実際の業態と世間が思うイメージのギャップに、いささかの関心をもった。

それは、クラスターが発生した店が「キスや密着があるキャバクラ」と報道されたことだ。

遊び好きの男性なら、「それって、〝キャバ〟じゃなく〝おっパブ〟じゃん！」と思ったことであろう。しかし、である。風俗通が理屈をこねれば、ことススキノにおいてはキャバクラ＝おっパブであって、当該店がキャバクラと報じられることは間違いではないのだ。「じゃあ、（本当の）キャバクラは？」となるが、この場合、当地ではニュークラブという呼び方になる。まず、このローカルルールがややこしかった。

それとは別に週刊誌系やネット記事はともかく、天下の大マスコミ、新聞・テレビがおっパブの詳細を伝えることなどできなかったらしく、単に「キスや密着があるキャバクラ」と伝えた。つまり、本来のキャバクラの姿とは違って報じられたことで、風俗などに関心がないフツーの人たちに、「キャバクラってキスや密着ができるの？」と思わせてしまった可能性があるのだ。

いまひとつ、基本的なことだが、今回ネットニュースなどで〝おっパブ〟というワードを聞いた人のなかには、「そもそもおっパブとは？」というムキも少なくなかったのではないか。簡単ではあるが、そのスタイルと「コロナ禍におけるリスク」を解説しておこう。

いわゆるキャバクラとの最大の違いは、おっパブの場合、女性キャストは客により密着して接客をした上、一時間に数回程度の割合で〝サービス〟を行う。地方によって、呼び名や過激さは変化するが、オーソドックスなものはキャストが上半身裸になり（あるいは、はだけた状態)、客の男性におっぱいを揉ませる。店にもよるが、そのときキスも可能であり、なかにはおっぱいを吸わせるコもいる。今回の店ではキスもサービスに含まれていたようだ。

つまり、男性客と隣席し、おっぱいを揉ませ、キスまでするという、「三つの密」が行われていた。しかも、乳首を完璧に消毒していない限り、前の客が舐めた乳首をそのまま口に含むことになる。正直、これではコロナ感染の確率が高くなるのも致し方ない。

おっパブのリスクが高い理由はほかにもある。もっと直接的な風俗店、ソープやヘルスが原則個室での一対一でのサービスを行っているのに対して、おっパブのほとんどはキャバクラ様式の中〜大箱の店内という〝ひとつの空間〟でサービスが行われている(間仕切りで個室感を出す店もある)。

このように中規模な密閉空間が完成している上に、おっぱいをむき出しにするプレイスタイルが重なることで、より他者の目に触れにくい状況が不可欠となってくる。そのために、照明を暗くしてキャストと客が密着する(ダウンタイムなどと呼ばれる)という知恵を使うのだ。だが、これがまた店側の管理を難しくする側面もあり、コロナ禍においては、不利なサービス形態と言わざるを得ない。

このような状況下、おっパブが生き残るためにはどうしたらいいいか？　例えば、密を少なくして屋外での営業にでもすれば多少はリスクが減るだろうが、そんなことをやったら公然わいせつでパクられる可能性が大だ。当事者にとっては厳しい日々が続く。

コラム

おっパブ黎明期

いま、「おっぱい」が元気だ。

これだけでは、何のことだかわからないと思うが、要するにいま風俗業界では「オッパイ」をウリにする商売がちょっとしたブームになっている、ということ。それも、ヘルスやソープなどのいわゆるヌキ系風俗ではなく、セクシーパブというキャバレー形態の店が流行しているのである。

セクシーパブは一般的にランパブの発展型と思われているようだが、どちらかというとノーパンしゃぶしゃぶの廉価版的なモノをイメージしてもらったほうがより実態に近いだろう。料金は大体、四、五十分で七千円前後とお手頃価格。

どこの店でも社交のコスチュームはTバックにノーブラ。その上に薄手の衣服を羽織るというのが定番だ。ショー・タイム時にはこの衣装は脱ぎ捨てられ、客は濃厚な密着サービスが受けられる仕組みになっている。まあ、値段の割には内容が過激なのが人気の秘密といったところだろうか。

先日も、某週刊誌の取材で数軒のセクシーパブに行ってきたのだが、ゴールデン・ウィークにしては（通常、都心の風俗店はこの時期ヒマになる）どの店も大繁盛で、あらためてその勢いのよさを実感した。

このような現在のセクシーパブ隆盛の理由のひとつには、過激サービスもさることながら、日本人の性意識の変化が大きく影響しているように思える。例えば、何かと話題の接待においても、以前はソープランドに代表される個室型が主流だったのが、現在はセクシーパブのようなみんなでワイワイ騒げるものに人気が集まっている。相手の顔色を見ながら商談を進められるという利点もあるのだろうが、やはり「みんなで一緒に」というスタイルが日本に定着しつつある、ということのほうが大きいと思う。

2021年1月、2回目の緊急事態宣言下のＴＯＨＯシネマズ前（筆者撮影）

この意識変化は、ここ数年で業界に地殻変動を起こし、多くの店がその流れの中で淘汰されていくという可能性をも秘めている。個人的にはこのようなノリだけで勝負！　という風俗が主流になるというのは、日本的淫靡さが失われていくようで一抹の寂しさを感じる、というのがホンネなのだが……。

先日も、取材先の社交たちが「商売」が終わったとたんに自分たちの「商品＝オッパイ」を丹念に拭う姿を見て、その思いはますます深まった。

１９９８年７月

七月二十九日

「人身売買が横行する国」報告 風俗産業＝女性搾取ではない 風俗業界が女性に優しい理由

風俗業界をウォッチするものとしては看過できない記事が、七月二十四日の読売新聞に載った。

二十三日、石川県警金沢東署は風俗店店長の男（28）を逮捕した。容疑は、二十代の女性従業員を暴行した傷害の疑いだ。髪をつかんで顔を床にたたきつけ、鼻骨骨折や顔面打撲で全治三週間のケガを負わせたというのだから、極めて激しい暴力だったと推察できる。原因が仕事がらみなのかプライベートなのか、詳細は取り調べと公判を待つしかないが、どんな理由があるにしても到底許されることではない。

今回、筆者が危惧するのは、このような事件が起きると必ず、風俗業界に従事する女性たちが虐げられている、あるいは搾取されていると問題にする人々がいることだ。

まったくそのようなケースはない、とは言い切れないが、長年風俗を取材してきたものとして言わせてもらえば、風俗業界は概ね女性を大切にしている。それは、なにもフェミニズムや人間愛からくるものではなく、「大切な商品」として尊重するからだ。

　そして、その商品が人格を持っている以上、いかに彼女たちが「気分よく」仕事をできるか、モチベーションを上げることが周囲の男性たちの大切な役割となってくる。冒頭にあげた金沢のケースが論外であり、風俗業に従事する男性として風上にもおけないのはそのためなのだ。

　さて、筆者の危惧はけっして曖昧とした概念のみで言っているワケではない。実は風俗業界、というより日本にとってこのテの出来事が由々しき問題となる可能性を秘めているからだ。アメリカの国務省が我が国を「人身売買が横行する国」と報告するなど、海外の機関から喧しく言われて久しいが、より注目すべきは国内での動きである。

　機会があれば稿を改めて詳細を述べたいが、さる国内の女性人権団体は、日本国内で風俗業に従事した韓国人女性の証言をアメリカで報告したことがある。その内容をざっくりと言えば、韓国国内から不本意な形で日本の風俗産業に送られ、性的な搾取をされた、というものだ。

　実際、韓国人女性の証言が事実なのか否かはわからない。そうかもしれないし、そうでないのかもしれない。しかし、一世を風靡した韓国エステを例にあげるまでもなく、多数の韓国人女性が風俗嬢として出稼ぎに来ているのは紛れもない事実だ。そういった実情を踏まえないで、ひとつのケースをもって風俗が女性を搾取する〝典型例〟と海外にアピールすることに、長年風俗業界とかかわってきたものとして強い違和感を覚える。

確かに貧困問題や悪質な置屋形式の業者など業界に問題がないとは言えない。だが、風俗産業＝女性搾取という一面的な決めつけをすることは、事実を歪曲し、ことによってはいらぬ摩擦も起こしかねない。それが筆者が強く危惧する理由だ。

韓国の「ニューアガシ」

「ハハハ……ワタシ、マッサージ上手よ。疲れてるとこないか？　揉んであげるネ」

取材用の撮影のために横たわるモデルの腰をさすりながら、屈託なく笑う異国の社交のその一種突き抜けた明るさにつられて、彼女に笑いかけた。

日本全国に、とまでは言わないが、東京全体で一体何人の社交が働いているのだろうか？　想像もつかないが、確かなコトは、彼女たちのような外国人社交が多数在籍し、「お仕事」に勤しんでいるという現実だ。

そんな、外国人社交の中で、現在最も元気が良いのが隣国韓国の「アガシ（娘）」、いわゆる韓国エステと呼ばれる店で働く女の子たちだ。

韓国エステはここ二、三年で伸びをみせた業種で、内容的には決してハードではないが、マッサージにフィンガー（もしくはリップ）でのヌキを絡めたサービスと廉価な料金システムで人気を博している、新風俗の旗手である。

その隆盛ぶりは、かつては韓国クラブの金城湯池であった東京・赤坂に、まるで伐採後の植林のように韓国エステが立ち並んでいることが物語っている。

ご存じの方も多いと思うが、韓国・朝鮮は儒教思想の強い国で、その思想的呪縛は老若男女を問わない。しかし、それでも彼女たちの我が国の風俗業界への進出は決して止まない。

この海を越え、年齢を重ねたニューアガジ（とでも言うべきか）たちの参入が、閉塞気味の風俗業界にどんな風穴を開けることになるのかその動向はここしばらく注目の的だろう。

冒頭の韓国エステを取材中に、ちょっとしたトラブルがあった。店の韓国人店長が、直属の上司（日本人）から段取り不足を厳しく叱責され、その場に居合わせた人間がなんとも後味の悪い気分

コラム

になるという「事件」があったのだ。

　しかし、当の店長自身はさして意に介していなかった様子で、取材後、「ビール飲みますか?」と言って、店長、僕とモデル、そして社交、四本分の缶ビールの口を開けて、ささやかな酒宴をもってくれた。

　マッサージ上手の社交が陽気に乾杯の音頭をとる。「ケンチャナヨ」（気にするコトなんてないさ）な国柄なんだろうか……いやいや、社交に国境はないのだろう。

1998年8月

2021年4月、3回目の緊急事態宣言で区役所通りを見張る新宿区職員（筆者撮影）

八月十二日

イソジン同様に「グリンス」も品薄・高騰「吉村のせいで……」風俗業界が困っているコンパニオンたちが焦る理由

いろいろな意味で波紋を呼んだ、吉村大阪府知事による「ポピドンヨード」（イソジンに含まれる成分）会見。その後の買い占めや、医療現場からの悲鳴で知事もトーンダウンをしているが、いまだその余波は続いている。

なかでも、会見当初から懸念（？）されていた風俗業界への影響はまだ収まっていない。一部の報道では、「風俗店はストックがあるので大丈夫」というものもあったが、それでも高齢者などを中心に、吉村発言を真に受けて買い占めが続く状況には手を焼いているのだ。実際、Ａｍａｚｏｎなどではまだ「入荷未定」となっている。

そもそも論として、風俗店はイソジンを常備している、と言ってもそれはソープやヘルスなどの店舗型風俗の場合だ。そして、いまやそれらの風俗店は度重なる規制や条例でマイノリティとなっており、多数派を占めている派遣型風俗（合法・違法ともに）では風俗嬢自身が常備しているケースが少なくない。そういった意味では風俗業界にとって、吉村発言がダメージとなったのは事実で、これが府内の風俗業を委縮させることまで予想していたのなら、知事の大変な深謀遠慮(しんぼうえんりょ)ではある。

実は、吉村発言を待つまでもなく、風俗業界ではコロナ禍による集客などの直接的な影響だけではなく、細かい部分でも様々な影響は受けていた。話題となったポピドンヨードを含む『イソジン』もそうだが、風俗嬢にとってはイソジン同様にマストである『グリンス』（正式には『グリンスα』）なども品薄、あるいは価格が高騰していたからだ。

グリンスとは、簡単に言えば薬用石鹸の仲間なのだが、家庭で使うものより消毒効果が強く、本来は医療現場などで使用するものだ。しかし、衛生面に強く神経を使う風俗嬢には人気で、大多数がグリンス（及び類似品）を使用していると言ってもいい。そんなグリンスが高くなっている、また必要なときにすぐ手に入らないというのが彼女たちのストレスとなるのは想像に難くない。

コロナ禍のなかで濃厚接触が懸念される風俗業を続けることの是非はあるだろうが、少なくとも法令下で営業している以上、それ自体は問題とされることではない。そのなかで、生活のために仕事をせざるを得ない彼女たちの苦衷は理解してもいいのではないか。

本質的な問題は、彼女たちもそうであるように、過剰な買い占めなどによって必要とされるものが、必要とする人へ届かない状況が続くことだろう。今回のポピドンヨード騒動であれば、医療関係者などがその最たるものだ。

今回の騒動、効果の是非を判断するのはまだ早いかもしれないが、個人的にはイソジンの匂いを漂わせながら街中を闊歩（かっぽ）するのは、好事家の注目を浴びそうで少し気が引けてしまうのだ。

八月二十六日

「歌舞伎町の立ちんぼ」のいま
彼女たちから見えてくるコロナ危機

コロナで青息吐息の歌舞伎町だが、ここ最近、微妙な変化がみられるようになった。その典型例が住人同士による微妙な〝歪み〟だ。そのひとつとしてあげるのが、〝中国人立ちんぼ〟の復活と、それによる影響である。

緊急事態宣言の渦中はもちろん、七月頃までは「定位置」……具体的にいえば、えび通りの横、CMで有名な某シティホテルの前、風林会館交差点などでショーバイをしていた彼女たちの姿が、パッタリと見られなくなっていた。それが、いま現在、少しずつではあるが仕事に戻り始めている。歌舞伎町の老舗飲食店経営者の話だ。

「夏に入ってくらいかなぁ。また、彼女たちが立ち始めた。まあ、あの人たちだって稼がなきゃならないから仕方ないんだけど、ただうちらの仕事に差しさわりあるのは勘弁。店の前の階段とかで、普通に化粧直ししたり、休んだりするから、ただでさえ少ない客が入りづらくなっちゃうんだよね」

このようなボヤキを筆者は他の店のスタッフからも聞いた。確かに中国人だから、商売人だからを問わず、自店の前にたむろされるのは迷惑行為に違いない。しかし、実のところこのようなボヤキというか苦情は、コロナ禍以前から度々耳にしていた。要するに、コロナで客が来ないなか、小さなマイナス要因でも許容できないという心境になっているのであろう。その立場になってみればわからなくもないのだ。

逆に中国人立ちんぼからすれば、コロナ禍の前はインバウンドの同国人（中国人男性）という新たな金脈を見つけて潤っていたのが、一転してこのどん底である。背に腹は代えられない、と強引になる面もあるのかもしれない。

非難の的となっているのは、もちろん、立ちんぼばかりではない。なにかと話題のホストクラブに対しても怨嗟（えんさ）の声が聞かれる。ホストクラブ密集地（歌舞伎町二丁目）の飲食店スタッフがいう。

「彼らも仕事だし、お客さんでもあるからあまり悪くは言いたくないけど、一部のホストの振る舞いには正直頭にくることもある。明け方などに、ベロベロになったホストと客の女の子が、密着して大騒ぎしているのを見ると、俺たちがソーシャルディスタンスとか、消毒とかマスクとかで頑張っているのが、バカバカしく思えてくるんだよね」

スタッフがいうように、これらは一部ホストの振る舞いではあるが、真面目にやっていればいるほど、バカバカしくなるような、ザラっとした気持ちになるのであろう。そして、大部分の歌舞伎町の営業者は「夜の街」大批判のなか、このスタッフのように、身を削る努力を続けているのだ。

元来、歌舞伎町というのは人間関係が希薄のようで、一種、村的な繋がりもある場所だ。それに亀裂が入るような状況をもたらしたコロナ禍は、まさに厄災と呼ぶ以外に言葉がない。

コラム

鬱陶しい客

　これは僕と懇意の社交がこの夏に経験した非常に「鬱陶しい」ヤツらの性状だ。語るは新宿の某セクシーパブに勤務するAちゃん。ちなみに彼女は、スレンダーボディがウリのなかなかキュートな女のコである。

某月某日。

「場内（指名）されて、席に着いたら三十歳くらいのオヤジだったの。そうしたらそのオヤジ、いきなり東〇〇ンズの紙袋からパンツをとりだしたの。それも前の部分がみんな穴の開いたやつ。『これ穿いてみて』って。

冗談じゃないよ。ソッコー断ったけどさ。そしたら『せっかく買ってきたのに……（ブツブツ）』って文句言ってた。チョーウザイ！」

某月某日。

「その日は女の子が少なくて、掛け持ちが多かったんだけど、五番目についた客がチョー変なヤツだった。席につくなり、『ボクをいたぶってください』って言うの。だからワタシ、『殴ったり、蹴ったりしたらワタシが怒られるんですけど』って断ったら、『これでツネってください。お願いします』って洗濯バサミ取り出した。しょうがないからカラダ中ツネってやった。四十分間ずうーっと。ホント、チョーキモイよ」

某月某日。

「二十代半ばくらいの客だったんだけど。ホント、チョームカツいんた。席に着いたときから態度でかくって、『こういうところの仕事も、それなりに大変だろ？』とか言うんだよ。それに聞きもしないのに自分はK応大学卒だとか、美人の彼女がいるとかしゃべるし……そして、最後は『オレって、博〇堂に勤めているんだけどさあ……』だって。

　頭きたから言ってやった。『へえー、お菓子屋さんに勤めてるんだ』。その客、目をパチクリさせてたよ。ザマアミロ」

某月某日。

「その日は本指（本指名）が少なくって待機が多かったんだ。そして、店が終わるころに場内で呼ばれたのね。『こんばんは。よろしくお願いします』って席についたとたん、凍っちゃったよ。だってそのオヤジ、いきなりズボンを脱いでアソコを丸出しにしているんだもん。そして『しゃぶれ』って。

ここはそういう店じゃないって説明しても全然ダメで、しょうがないからボーイを呼んだ。ボーイが同じように説明しても、納得しなくて、『オレはピンサロだと思って入ったんだから、なんとかしてくれなきゃ困る』とか言っちゃって、言うこときかないで頑張ってるの。下半身丸出しで（笑）。アソコなんか勃起してるんだから。ワタシはすぐその客から離れたからよかったけど……帰りがけにチラッと見たらまだ頑張ってたよ、あのままで（笑）。ほんと、バカだよね」

なんとも、鬱陶しい客のオンパレード。ホント、社交の激烈な日常には頭が下がる思いだ。まるで彼女たちは、毎日怪獣と戦うウルトラセブンのようだなあ……。

1999年11月

客への不満

今回は明るい話題を取り上げたい。

先日、都内のある有名キャバレーの社交たち数人と会食をする機会を得た。もちろん、まったくのプライベートにおいてである。どういう経緯で知り合ったかは割愛させてもらうが（と、もったいつけるほどのものではないのだが）、彼女たちは紹介

コラム

者の社交を含め全員が二十代、うちひとりはまだ大学を卒業したばかりという若さの子ばかり。平均年齢が格段に高いグランドキャバレーでは、若手と言っても差し支えない。その三人の話が実に面白かった。

フツー、社交たちが店以外でダベっていると、それは店の悪口か客の悪口と相場は決まっているのだが（夢を壊すようで申し訳ないが事実である）、果たして三人の社交たちの話題は客への不満のオンパレードであった。そのなかでも彼女たちが声を大にして訴えていた不満が、「スケベオヤジ（三十代を含む）が多い」ことと、「客の話が恐ろしくつまらない」という二点だった。もちろん、彼女たちの若さも大いに関係しているとは思う。二十代でオヤジギャグを年中聞くのもつらいだろうし、そもそも話が合うハズもない。

だが、彼女たちだってプロである。全く職業意識なくして不満を言っているのではない。簡単に言えば、グラキャバに来る客のなかにはサービス精神のかけらもない人がいる……と言っているのである。むろん、お触りなどのエロ行為が論外なのは言うまでもない。

「店に行ってまでなんでサービスをしなきゃならないの」という客の声もたまに聞くが、彼女たちの話を聞く限りやはりこういった考えの人は損をしていると思う。なぜならば社交たちは、サービス精神溢れる客に「極めて」飢えているように見受けられるからである。少なくとも、グラキャバの「若手」社交たちの間ではそういった意見が多かった。

2002年11月

九月九日

「スバルで街は潤ってたのに……」群馬・太田市のキャバクラ・おっパブが絶滅の危機に！工業都市を襲うコロナの恐怖

北関東を代表する繁華街が、新型コロナウイルスによって瀕死の状況に陥っている。群馬県東部にある太田市と言えば、富士重工を筆頭に多くの工場を抱える工業都市だ。それだけに、地元の労働者や都内から出張でくるビジネスマン向けに、多くの飲食店が駅の南側を中心に林立している。

「南一番街」と呼ばれるその場所は、工場労働者や出張者の多くが男性のこともあって、おっパブなどのセクシー系店舗、キャバクラ、フィリピンパブなどが軒を連ね、さながら男性天国の様相を呈していた。

その男性天国も他の繁華街同様、コロナウイルスの直撃を受ける。止めを刺したのは一軒の店で起きたクラスターだった。南一番街で営業する居酒屋店主が腹立たしげに話す。

「七月に、（踊るほうの）クラブで二十代の若者を中心としたクラスターが発生してね。それが決定打となった。ウチなんか三十代以上のお客さんがほとんどで、客層は全然違うのにもろ影響を受けましたよ。いまじゃ、通ってくれるのは一部の常連さんだけ。お客さんに聞いた話だと、奥さんとか家の人に相当言われるみたい。『まさか、南一番街に行くつもりじゃないでしょうね！』って。これじゃ、行きたくても行けないよね」

実際、街を歩いてみるとわかるが、週末などは仕事帰りの男性客がそぞろ歩きしていたのが、パタッと止まってしまい、閑散としているのだ。そんななかで耳にするのは、いまいち元気のないキャッチの呼び込みと、これだけはいつも元気なフィリピーナの笑い声だけだ。街のタクシー運転手もこう証言する。

「だいたいの印象だけど、周囲の飲食店の四割近くは閉店か休店している状態だね。それに正直客のほうも、怖がって行かないよ。このままじゃ、南一番街ごと潰れちゃうんじゃないんかね」

客のほうも怖がって……と運転手は話したが、恐怖は店舗側にも強い。バーなどは新規の客の入店を断るところが多く、事実上、地元民以外は締め出しているように見受けられる。なかには、「太田市内在住の方のみ入店可能」という張り紙を用意している店舗もあったくらいだ。

ここ数年、街の旗艦企業とも言える富士重工の好調とも相まって、好景気を享受していた群馬随一の繁華街だが、新型コロナウイルスという予想もしなかった敵によって、事実上窒息させられようとしている。

近年の街の歴史を振り返れば、ドーナツ化で廃墟になりかけていた駅前繁華街が、（ソープランドが条例で禁止されている）群馬にしては稀有な「本サロ（本番サロン）」を中心とした風俗街として息を吹き返した。二〇〇〇年代前半のことだ。その後お上の介入で本番風俗こそ壊滅したが、おっパブ、キャバクラなどのソフト&セクシー路線で街はV字回復を果たす。

まさに繁華街は不死鳥のごとく……を地でいったワケだが、残念ながらウイルスという未知の敵には屈しようとしている。北関東の男性客たちのためにも、この稀有な繁華街には持ちこたえて欲しいものだが。

九月二十三日

メインストリートからチェーン店が撤退
インバウンドの象徴と持ち上げ
恐怖を煽ったマスコミの罪

コロナ禍に翻弄された二〇二〇年もすでに四分の三が過ぎようとしている。コロナのひとつのキーポイントと言われるワクチン製造の可否に関心も高いが、それでもアフターコロナかウィズコロナかの違いだけで、どちらにしてもコロナ以前とは大きく生活様式が変わることは避けられない。特にいわゆる繁華街は百八十度、思考を変えざるを得ないくらい、強い影響を受けた。

首都東京では、緊急事態宣言下で「戦犯」のように糾弾され続けた新宿・歌舞伎町にその影響は色濃い。なかでも、被害が直撃したのは飲食店であった。その最たるものがチェーン店の撤退だ。

ゲーム「龍が如く」のモデルとなった歌舞伎町一番街では、大手牛丼チェーン店と著名な回転寿司店が閉店した。双方とも長く営業してきた店で、どちらもコロナウイルスの影響で……とは明言していないが、街の人間は「やはり、コロナで」と推測している。また、同じ一番街では新宿地区では知られた焼肉店も閉店の憂き目にあっている。

一番街は実質的に、歌舞伎町のメインストリートであり最も混雑する場所のひとつだ。そこで長年営業していたチェーン店が撤退したことは、いかにコロナ禍が繁華街にとって致命的だったかの証左とも言えるのではないか。

もちろん、チェーン店以外もコロナ禍に大苦戦している。歌舞伎町では知らない人はいないという、某飲食店も現在の客足は「（コロナ以前の）半分か三分の一くらい」と嘆く。それらの店の多くは消毒液を店頭におき、ソーシャルディスタンス的にも密を避け、換気もしているが、それでも一度植え付けられた〝恐怖〟はそう簡単には取り除くことができないのだ。

そしてその恐怖からくる行動は、テレビなどのマスコミ報道により、「普通の人」たちが（控えめにいって）やや過剰な警戒感を持って街に寄り付かなくなったことで増幅される。

実際、客足が半分以下になったという飲食店のスタッフによると、現在はいわゆる常連客だけで店を回しているような状態になっているという。区役所通りにある別の人気飲食店の経営者は「最近よく来てくれるのは、常連さんとホストだけだよ」とやや自嘲ぎみに話した。

経営者がなぜ自嘲ぎみかと言うと、コロナ禍でこの経営者自身が、「（自分たちは）密を避け消毒もし、真面目にやっているのに……」とホストの奔放な行動に批判的な目を向けていたからである。その気持ちはよくわかるのだ。

いずれにしても、アフターコロナであろうと、ウィズコロナであろうと、歌舞伎町をはじめとする繁華街がかつての隆盛を取り戻すのは容易なことではないだろう。いまになってお上やマスコミは経済も大事とアナウンスしているが、その彼らがコロナ以前は「ナイトタイムエコノミー」が経済活性化を呼ぶと持ち上げ、なかんずくマスコミは、インバウンドの象徴として新宿の繁華街を再三再四、好意的に取り上げていたのだ。ご都合主義とはまさにこのことではないか。

第四章
サバイバル

二〇二〇年
十月〜十二月

二〇二〇年十月五日

アプリで逆ナン、ぼったくり事件多発
犯罪者との「マッチング」にご用心を
取られた金は〝ほぼ〟戻って来ない

まるでぼったくり店が法の網を逃れて、日本各地を「流浪」しているようだ。九月十二日の読売オンラインは、出会い系アプリで知り合った女性に連れていかれた横浜のバーで、十八万円のぼったくりにあった男性の被害を報じた。率直に言って、この手の被害はここ数年、多数報告されており、特に珍しいものではない。

念のため、その手口を紹介しておくと、出会い系で知り合った女性に飲みに誘われ、「知り合いの店」「行きたい店」などなかば押し切られるように連れていかれたバーで高額の請求をされる……というパターンである。

被害額は数万円から数十万円までだが、カードは不可、持ち合わせがなければATMで支払い、もしくは身分証明書のコピーを取られ、後日支払いの約束、そして退店後に女性とは連絡が取れなくなるなど、やり口は共通している。

正直、毎度毎度なぜ、このテのやり口に引っかかるのかと思わなくもない。

そもそも、女性から店を指定してぼったくり店に連れ込むというこのパターンは昔から存在しており、かつては〝逆ナン〟が主流だった。それが、ネット時代になって、出会い系などのアプリを利用しているだけである。

悪徳業者にとっては、広い網を仕掛けられるという意味でより有効なのは間違いないが、それでも十年一日がごとく使い古された手口だ。まあ、それだけ男のスケベ心は変わらないということなのだろう。

しかし、問題の本質はこの使い古された手口が都道府県を変えて巧妙に行われている、ということだ。

実はここ数年、このテのぼったくりの主流は東京・歌舞伎町などの大都市だった。もちろん、いま現在もその被害はあるのだが、報道による周知が早かったことや一部のYouTuberがその手口を動画にしてアップしたことなどもあり、東京・歌舞伎町や大阪・ミナミなどでは警戒されることも多くなった。そのせいもあってか、報道された神奈川・横浜のように河岸を変えて商売をするような輩も出来したのである。

さらにこの河岸がえには、注視すべき点がある。実はこの神奈川がいい例なのだが、業者側がぼったくり条例が「施行されていない場所」を狙い撃ちし始めた可能性があるのだ。

これがどういうことを意味するかというと、被害に対し迷惑防止条例などで網にかけることはできても、（ぼったくり条例による）詐欺罪などの適用が難しいということになる。つまり被害届を出しても、金銭的な回復などを求めることができづらいということだ（民事不介入）。

では、ぼったくり条例がある場所で遊べば多少なりとも安全ではないか？　と考える人もいるいかもしれないが、実のところ、全国四十七都道府県のうちぼったくり条例を施行しているのは、東京、大阪、北海道、福岡など七都道府県にすぎない。多くの府県がぼったくり被害に関しての法整備はまだまだなのである。

無論、被害が拡大すれば、法整備の話も出てくるかもしれない。が、いまのところは従来通り、自ら身を守ることだけが唯一の予防と言えるだろう。

コラム

客引き百景

某日、歌舞伎町二丁目のとある韓国料理店。マッコリを片手に胡座（あぐら）をかく筆者の隣で、店主のオンマがポツリとつぶやいた。

「あのコたちも大変だね。いつも、紙配りながら店の前で立ちっぱなしでさ」

視線の先は、はす向かいにあるビル入り口。カジュアル風茶髪、二十歳前後の女子が所在なげに立っていた。どうやら、最近オープンしたガールズバーの従業員のようだ。このガールズバーという形態、まさにお上による〝風営法〟を駆使した相次ぐキャバクラ摘発により咲いたあだ花のようなものだ。

「当店は接客などしていませんよ。へえへえ、ただのバーです。旦那」

と、ばかりに編み出したこの新商法。当初こそ、物珍しさもあって客の入りもそこそこだったが、右にならえと雨後の筍のごとく出没しすぎたから、さすがに客にも飽きられてきた。

さらに、追い打ちをかけるようにお上は、オンナのコの一挙手一投足にまで難癖をつけ、ついに伝家の宝刀〝風営法〟違反でガールズバーをもゲットし始めた。いやはや、一体、彼らはこの街をどこに導いていこうとしているのか…。

なんにせよ、客には飽きられ、摘発にビクビクする日々を送るオンナのコたち。彼女たちのストレスが溜まるばかりなのは、想像に難くない。となれば、新橋あたりでくだを巻くサラリーマン同様、一杯二杯と酒が進むごとに、酔態を見せるのもこれまたしようのないことなのだろう。

もっとも、彼女たちに同情の目を向けていられるような余裕は客側にもない。ただでさえ、懐具合が芳しくない現状なのに、またぞろ、歌舞伎町の「悪い病気」が再発し始めているというのだから。

某日、歌舞伎町のバーでの一コマ。

「この前、キャッチに三千円って言われて、キャバクラについていったら、四人で三十六万円も取られちゃったよ。話が違うって文句言ったら、銀髪の怖いオニイサンが出てきて、『こちらも商売ですから』って凄まれて…」

随分とクラシックなスタイルだが、時間を聞くと、入店時間が深夜二時ごろ。すでに風営法違反承知でキャッチをしているということは確信犯なのだろう。支払いはどうしたと聞くと、

「現金は八万円しか、持ってなかったので札（カード）きりましたよ」

三十そこそこの気の良さそうなお兄さんは、しょんぼりとそう話した。ご愁傷様……今後は気をつけるんだね、とつい一言声をかけたが、考えてみればお上の強硬姿勢の産物、とも言える出来事ではある。

ちなみにお兄さんによれば、オンナのコたちは、ドレスというよりカジュアル風な服装だったという。これまた、昔懐かし「キャンパスパブ」を思い出させるではないか。あれは新風営法施行直前、「五千円ぽっきり」の口上で酔客のケツの毛までむしり取った（時には生命まで）ぼったくり店のほとんどが、カジュアルスタイルであった。

まあ、現在の歌舞伎町でこのような「事件」が起こるのも想定内とは言えるが、まっとうじゃない商売が跋扈するのは困りものだ。さらに言えば、〝まっとうじゃない〟商売に加担しているオンナのコたちだって、心の中にはザラッとしたなにかが残るハズ。かくして、歌舞伎町・魅惑のカオスは、単なる荒涼とした景色に転化してゆく。嗚呼。

2012年4月

十一月四日

日本のアニメ・マンガは〝児童ポルノの温床〟豪州の女性議員が提起し、大型書店からラノベを締め出す日本の「人権派」議員も同調か？

看過できない「ニュース」が南半球から飛び込んできた。ことの発端は、オーストラリアで日本からのアニメやマンガ、グッズなどを輸入する業者が、税関で差し止められた、とネット上で訴えたことだった。

理由はこれら日本のアニメ・マンガが、児童ポルノにあたるということ。

この出来事は、オタク系ネット掲示板を中心に瞬く間に世界中に発信され、それがそのまま日本にも伝えられた。実際の輸入禁止物を見たワケではないので断定はできないが、写真などで判断する限り、いわゆる「同人系」の雑誌類が多いように見受けられる。確かに、これらの創造物に対し児童ポルノと問題にする人たちはいるだろう。

が、しかし、ことの本質はそんな単純なことではないようだ。

実のところオーストラリアでは、以前から日本のアニメ・マンガに照準を定め、「児童ポルノ」製造国として非難のターゲットにしていた様子が見られるのだ。それが露見したのは、今年二月二十九日にオーストラリアの公共放送「ＡＢＣニュース」で発信された日本のアニメ・マンガがいかに同国における児童ポルノの温床となっているか、というリポートだった。

詳細は当該記事でご確認いただきたいが、日本製アニメ・マンガ禁輸急進派の同国女性国会議員が直接日本まで出向いて確認し、さらに日本国内の人権派団体とも協議した……とも記事は述べている。

実はこの女性議員、すでに他の日本製アニメ・マンガもゲットしており、今年の夏には彼女らの基準で〝危険〟と判断した作品を、同国に進出する日本の大型書店から駆逐することに成功している。その駆逐された作品の中には、「ノーゲーム・ノーライフ」などの人気ラノベ作品も含まれていた。

為念、筆者の立場を述べておけば、児童ポルノはもちろん、あらゆる性犯罪に厳しくあたるべし、というスタンスをとっている。それと同時に、いかなる表現であろうと創作物上では許されるべしという信念もある。

反骨のルポライター・竹中労の言葉を借りれば「（表現の自由は）馬の糞でも守るべき」ということだ。実は、このアニメ・マンガ規制はオーストラリアで提起されるはるか以前から、児ポ法や青少年保護育成条例の改正問題として日本の国会でも大きな議論を呼んでいた。

詳細を述べるスペースはないのでざっくりと述べるが、規制推進派の警察官僚出身・葉梨康弘自民党議員や警視庁御用達の学者、そして「人権派」アグネス・チャン女史vs法改正に反対する枝野幸男民主党議員（当時）や保坂展人社民党議員（当時）らの論戦であった。そしてここがミソなのだが、福島瑞穂議員ら社民党の女性議員たちは、概ねみな、規制賛成側にまわっていたのだ。

今回の急進派オーストラリア議員による日本文化排除をけっして対岸の火事と見てはいけない。また、海外の「人権派」と日本の「人権派」がタッグを組んで、人権後進国として日本を告発する、というのはもはや定番ともいえるスタイルだろう。

前述したように、児童の性被害に厳しくあたるのは当然のことだ。しかし、そこから表現の自由の枠組みにまで踏み込むことはあまりにも多くの危険性をはらんでいる。ことと次第によっては、「人権派」が人権を抑圧する旗振り役を演じてしまう……という悲喜劇もあり得るのだ。

十一月十九日

第3波でも「戦犯扱い」された〝夜の街〟小池都政に狙い撃ちされる歌舞伎町の苦悩

東京都で、新型コロナウイルスの感染者がついに五百人の大台に乗った。都は、警戒レベルをマックスに引き上げたが、今回、飲食店への時短要請は見送られた。三月三十一日の小池都知事の記者会見をきっかけに、一部マスコミやネットなどで「夜の街」の代名詞のように扱われ、悪戦苦闘中の歌舞伎町の住人たちは、警戒しつつもホッと安堵のため息をついたのではないだろうか。

もっとも、時短要請が見送られた代わりではないが、都知事からは新たな提言が示された。感染者増を受けて緊急記者会見を開いた都知事は、お馴染みとなったフリップを掲げ、奮闘する医療従事者への心遣いとともに、五つの「小」を訴えたのだ。

いわく、コロナ禍における会食事の心得として、「小人数」「(できれば)小一時間」「小声」「(とりわけが必要ない)小皿料理」、そして「小まめなマスク・換気・消毒」を求めたのである。率直に言えば、歌舞伎町はもちろん、都内の多くの飲食店などですでに意識・実行されていることなのだが、フリップやキャッチーな言葉を使って耳目を集めるのが〝小池スタイル〟なのだろう。

もっとも、歌舞伎町で長年、飲食店を営む年配の女性は筆者に、

「店のドアもずっと開けっ放しだし、ウチはテーブルの間も離れている。それに、お客さんが帰るたびに、小まめに消毒しているし、お客さんも大人が多いから騒ぐこともない。もう、これ以上、私たちになにをやれっていうのよ」と愚痴とも、嘆きともいえる言葉をこぼしていた。

まさにおっしゃる通りで、都知事にいまさら言われるまでもなく、自らのリスクも鑑み(かんが)て各々が精一杯のコロナ対策を講じている。それでもなお、夜の街の「代表」として、悪の権化のように扱われているのが、いまの歌舞伎町なのだ。

一方で、都知事が緊急の会見を開いたその日も、まさに見ごろとなった紅葉をひと目見ようと、二十三区内屈指の名所である神宮外苑絵画館前の銀杏並木通りには多くの人が詰め掛けていた。むろん、野外のことであり、多くの人がマスクを着用していたが、それでもSNS用の自撮りの際には友人同士でマスクを外し、写真に収まっていた。

現在、感染経路は家庭の同居人が四十%を超えるなど、けっして飲食の場だけでは収まらない状況となっている。確かに五つの「小」は大切だが、少なくとも歌舞伎町をはじめ

とする繁華街だけ、〝戦犯〟とする事態は、とうに過ぎていると言ってもいいのではないか。

十一月二十二日

コロナパンデミック再び！ 生き残りを図る繁華街はこうして変貌した 迷走する政治をよそに「焼肉店」が激増

新型コロナパンデミック、ついに第3波か⁉ と、テレビや新聞などの大マスコミが喧しい。実際、全国的に感染者は急増しており、北海道では最大の繁華街・札幌ススキノを道民から封鎖する（GoTo利用の旅行者は除外、というのがミソ）……という荒療治まで行われる。

もっとも、パンデミック防止と経済活性という二律背反する状況下で、どこの行政も決定的な対策を出せてはいないのが実情だ。その矢面に立たされた感がある繁華街はいま現在、そして今後、どのようにして生き残りを図っていくのか？

日本最大の繁華街・新宿歌舞伎町の変貌を例に、検証してみたい。

歌舞伎町で最初に起こったのは、比較的体力がある企業の戦略的撤退、である。緊急事態宣言以降、まず大手牛丼チェーンや回転寿司などが店を閉め、有名・老舗の飲食店がそのあとに続いた。これらの場合は、一時的に撤退しても内部留保などでしのげる、また状況が好転すれば再出店もあり得るという判断が働いたと思われる。

その次に動きを見せたのは、一時的な店舗閉鎖で様子をみるというパターンだ。インバウンド客で賑わった「ロボットレストラン」が緊急事態宣言以降、無期限休店しているのは、そのわかりやすい例だ。

もっとも、この「ロボットレストラン」などは大きな事業体グループのひとつであり、その休業が事業体の死命を制する……というものではない。そういった意味では、最初にあげた、戦略的撤退企業と同じカテゴリーに入るかもしれない。

いまひとつのパターンは、歌舞伎町の流れの主になりつつあるもので、営業形態そのものを変えてしまうというものだ。最たるものが、焼肉店の増加で、居酒屋だった店舗が改装していると思ったら、焼肉店になっていた！　というケースが目立っている。

それはなぜか。

もともと、歌舞伎町は焼肉店が多い街だけに、正直筆者などはそんなに増えて大丈夫なのか？　という気持ちもあるのだが、これは消費者自体に「換気がよい焼肉店のほうがまだ安心」という気持があることも、大きいようだ。

言ってみれば、多分にイメージ的な「アフターコロナ」なのだが、消費マインドというものを考えればそれはそれで正しいのだろう。ただし、ワクチン接種などが進みコロナが「魔法のように」消えてしまえば、一転焼肉バブルとなる可能性もあるワケで、より的確な、忙しい経営判断が求められることは言うまでもない。

最後に残ったのは、いわば原点回帰、常連客を中心にでき得る限りのコロナ対策を行い、自身の身の丈にあった商売を続けるというやり方だ。これは特に、バーなど小規模な店舗には有効で、ある意味コロナ禍では正統派の生き方なのかもしれない。

このように歌舞伎町に生きる多くの人々が、コロナ禍での生き残りを必死に模索している一方で、もはやコロナなどどうでもいい！　と言わんばかりの商売をしている一部の店舗（業種）があるのもまた事実だ。ここらあたりが、大繁華街の難しさであり、御しがたい多様性でもあるのだろう。

十二月四日

売春斡旋で警察職員が逮捕！ マニアが高じて「男女パーティー」を主催 参加者からは好評だったが……

いろいろ、ツッコミどころ満載、かつ示唆に富んだ事件が起きた。十一月二十七日、福岡県警は売春防止法違反の容疑で、県警小倉北署に勤務する四十四歳の職員の男性（懲戒免職処分）を逮捕した。同日の毎日新聞が伝えた。

逮捕容疑は、SNSで知り合った女子高生が男性客ふたりに売春するのを知っていたうえで、ホテルを用意した売春防止法違反の疑いだ。容疑だけをシンプルに追えば、現職の警察職員が女子高生売春を斡旋した……という言語道断の事件なのだが、詳細を追っていくと奇妙な「事実」もまた見えてくる。

実は、容疑者の男性は二〇一七年頃から定期的に、「乱交パーティー」を主催しており、今回の女子高生売春斡旋（容疑）もその一環なのである。県警の調べによれば、容疑者は男性参加者から参加費を集め、その半分を参加女性に、残りの半分をホテル代や飲食費にあてていたという。

通常、売春防止法で逮捕された場合、売春斡旋者は相応のギャランティを取り分として取っている。これは、（表裏を含め）風俗店においても同様だし、ことの良し悪しは別にして〝女衒（ぜげん）〟としては正当な報酬となっている。

しかし、この容疑者は調べに対し、自らが乱交パーティーマニアであることを認めたうえ、勤務状況などから他者主催のパーティーは参加が難しい、ゆえに自らが主催者になった……と供述しているのだ。要するに自己の欲求を満たすために、他者の利益を満たしていたというワケだ。この他者とは、報酬をもらう女性たちであり、パーティーに参加する男性客だ。

言ってみれば、容疑者の男性にとってのメリットは、自らが主催する乱交パーティーに「参加」できることであり、誤解なきように言えばまことに純粋なマニアということになる。

もちろん、女子高生を参加させたことは、青少年保護の観点からも許されることではないし、警察職員が公序良俗に反することは世論も許さない。また、参加費を取ったことが売春斡旋と判断されたことも法的には妥当だろう。

しかし、だ。

逆に言えば成人女性のみを参加させていて、自らは金銭的利益を得ず（恐らく得ていない）、

郵 便 は が き

63円切手を お貼り ください

101-0003

東京都千代田区一ツ橋2-4-3
光文恒産ビル2F

(株)飛鳥新社　出版部　読者カード係行

フリガナ	性別　男・女
ご氏名	年齢　　歳
フリガナ	
ご住所〒 TEL　　(　　　)	
お買い上げの書籍タイトル	
ご職業　1.会社員　2.公務員　3.学生　4.自営業　5.教員　6.自由業 7.主婦　8.その他（　　　　）	
お買い上げのショップ名　　所在地	

★ご記入いただいた個人情報は、弊社出版物の資料目的以外で使用することはありません。

このたびは飛鳥新社の本をご購入いただきありがとうございます。

今後の出版物の参考にさせていただきますので、以下の質問にお答え下さい。ご協力よろしくお願いいたします。

■この本を最初に何でお知りになりましたか

1.新聞広告（　　　　　　　新聞）
2.webサイトやSNSを見て（サイト名　　　　　　　　　　　　　　）
3.新聞・雑誌の紹介記事を読んで（紙・誌名　　　　　　　　　　　）
4.TV・ラジオで　5.書店で実物を見て　6.知人にすすめられて
7.その他（　　　　　　　　　　　　　　　　　　　　　　　　　　）

■この本をお買い求めになった動機は何ですか

1.テーマに興味があったので　2.タイトルに惹かれて
3.装丁・帯に惹かれて　4.著者に惹かれて
5.広告・書評に惹かれて　6.その他（　　　　　　　　　　　　　）

■本書へのご意見・ご感想をお聞かせ下さい

■いまあなたが興味を持たれているテーマや人物をお教え下さい

※あなたのご意見・ご感想を新聞・雑誌広告や小社ホームページ上で
1.掲載してもよい　2.掲載しては困る　3.匿名ならよい

ホームページURL http://www.asukashinsha.co.jp

参加者全員が満足する「ささやかな」乱交パーティーだった場合、〝売春斡旋〟と断定することは、法的にはともかく、ある程度の緩さがあってもいいのではないか？　と思わなくもない。

いまひとつ懸念がある。

これまで警察は、様々な理由をつけて「乱交パーティー」を摘発している。そしてその場合の多くは、公然わいせつ罪の適用だ。そしてその度、密閉された空間で、公然わいせつ罪が成り立つのか？　という議論があった。今回の金銭的利益なき売春斡旋があくまでレアケースであるのか？　それとも今後、公然わいせつなど、あらゆる法を駆使して同様の摘発を試みるのか？　お上の動きには、注目せざるを得ない。

バイアグラ

一時期の熱狂的ブームは去ったといえ、依然、世の話題を集めているモノにバイアグラがある。

もはや説明は不要だろうが、この薬はインポテンツの男性の八割近くに、劇的な効果が見られる、ということで世界中の注目を浴びている「奇跡の薬」である。

このバイアグラ・シンドロームは、話題・流行に飛び切り敏感な風俗業界にも、モチロン波及した。バイアグラ・プレイの登場だ。かつてエクスタシーという薬（※筆者注・当時は違法薬物ではなかった。現在は違法薬物）が流行した時にも、同様の動きがあったので、ある程度は予測していたのではあるが……業界のたくましさには、毎度ながら感心させられる。

ところが、数ヵ月すると、このバイアグラが業界でトンと話題にならなくなった。浮き沈みの激しい世界ではあるが、それにしても極端。まだまだネタは十分生きているハズ、なのに、である。

理由は単純なことだろう。つまりバイアグラはホンモノだった。お遊び半分の媚薬とは違い、この薬が生み出す効果には、社交たちを震えあがらせるだけの、強烈なパワーがあった、ということなのだ。

通常、風俗店の社交はプレイ時間内なら、二回、三回と客にチャレンジさせるコトが多い。しかし、実際には数十分で何回もエレクトする強者は、そうそういるハズもなく、多くの社交が必要以上のダメージを負わずに済んでいるという経験がある。それが、バイアグラの出現であやしくなってきたのだから、社交たちにとってはハタ迷惑な話だろう。

僕の知り合いの、新宿のＤＣ（デート・サークル）のオーナーが聞いた話だが、最近バイアグラを服用して十五年ぶりに勃起した男が、ＤＣに突入し、二時間で三回、社交を求めたそうである。その

コラム

社交は疲労困憊（こんぱい）で事務所に戻ってきたという。まあ、ご苦労な話だが、彼女たちにとっては冗談では済まない問題だ。
キッチュなコトが良しとされる風潮もある風俗界にあっては、ホンモノ＝バイアグラは、いささかなじみにくかった、ということであろうか。

1998年11月

TOHOシネマズ横をパトロールする新宿区の職員。若い人の姿が目立つ（筆者撮影）

十二月十七日

『コロナの温床』と言われた歌舞伎町 その隣にある『韓流タウン』は、こうして生き残りを図った

菅総理&二階幹事長肝いりのＧｏＴｏをついに「陥落」させたコロナ第三波。すでに報道されているように、首都・東京は、十二月十七日までとしていた酒類を提供する飲食店への時短営業要請を、一月十一日まで延長することを決定した。

協力金を出すとはいえ、忘年会、新年会、クリスマス、年末年始という超ドル箱の放棄を求められる事業者たち。進むも引くも地獄……というのが偽らざる心境ではないだろうか。

こんな状況下だけに、新都心・新宿、渋谷、六本木、赤坂など繁華街は死屍累々の状況なのだが、実は一カ所だけ復活の様相を呈している繁華街がある。

それは、新宿区・新大久保近辺だ。そう、いわゆる「韓流タウン」である。

筆者はコロナ禍の約一年間、歌舞伎町を中心とした新宿の繁華街の推移を定点観測して

きた。新大久保界隈もそのひとつなのだが、緊急事態宣言前後を見る限り、韓流タウンもまた苦難の最中にあった。

特にここ数年の韓流ブームに乗って出店したニューカマー組はその影響をもろに受け、体力がない店から休業に追いやられていった。業種で言えば、街歩きに適したハットグ（韓流ホットドッグ）専門店などは、老舗業者を除いて姿を消しつつあったのだ。

無論、道一本隔てて隣接する歌舞伎町も当時は青息吐息だったワケだから、韓流タウンだけが危機に瀕していたのではない。

しかし、その後の街の状況は異なった道のりを歩む。

歌舞伎町は緊急事態宣言以降、組合や老舗店舗などを中心にして、様々な感染対策を掲げて（まさに、血のにじむような努力をして）生き残りを図った。

だが、一方で、一部接客を含む店舗の〝通常運行〟には手を焼いた……というより、イメージ的に足を引っ張られた。

一方、韓流タウンのほうはというと〝総じて〟静観の構えをとった。具体的に言えば、賑やかだった呼び込み（客引きではない、為念）が影を潜めた。これは、昨今の日韓関係からデリケートになっているところもあるのかもしれないが、それでもトーンを合わせた（ように思える）静観ぶりは正直なところ、意外なほどだった。

そうしているうちに、新型コロナ感染のリスク……密のほかにアルコール摂取の環境など……が判明するとともに、ランチタイムなどへ多くの韓流ファンが戻ってきたのである。

直近の週末である十二月十二、十三日などは新大久保駅周辺に（かってのように）人波を整理する警備員が立つほどの賑わいで、そのほとんどがＢＴＳやＮｉｚｉＵを支持するような若い女性ファン、あるいは韓国ドラマ「愛の不時着」にハマったであろう中高年女性であった。

もちろん、なかには「混雑は密を生むのではないか？」と懸念するムキもあるだろう。しかしながら経済を回せという声も多いのは事実で、現場はその狭間で苦悩している。韓流タウンとて同様だろう。

韓流タウンと歌舞伎町。道一本……距離で言えば百メートルも離れていないが、いまは異なる様相を見せるふたつの街。それぞれの生き残り策は、未曽有のコロナ禍をどう突破していくのだろうか。

十二月三十一日

歌舞伎町で季節外れの幽霊騒動
コロナでめった打ちにされた街で
風俗嬢たちが感じている「恐怖」とは

幽霊が出るのは夏場……というのが相場（？）だろう。それなのに新年を迎えようとしているいま、日本一の歓楽街で幽霊騒動が起きているという。〝証言〟をしてくれるのは歌舞伎町で働く某風俗嬢だ。

「歌舞伎町区役所通り近くにあるビルの階段付近に、幽霊が出るってみんな話している。私は怖いからもう近づかないようにしているけど、あきらかに気配がおかしいって。仕事仲間では有名だよ」

彼女いわく、その「幽霊」は（男とか女とか）具体的な姿を見せるワケでなく、影や嫌な気配を感じさせて人に恐怖を与えるという。

率直に言ってこのテの話はよくある。風評被害になるので場所は述べないが、歌舞伎町二丁目にあるそのビルは筆者も知っている。が、これといって「気配」や「恐怖」を感じたことは一度もない。

筆者がなぜ、この埒もない噂話を取り上げるかというと、歌舞伎町で従事する風俗嬢たちが日ごろから感じている漠然とした不安のようなものが、このような話を流布させるのではないか？　と考えているからだ。

そもそもの話として、歌舞伎町には「怪談」の元となるような出来事が多いのは事実だ。前述の風俗嬢はこの幽霊ビルのほかにも、四年前に火災でひとりの女性が亡くなった某ラブホ跡（現在は廃業）も、〝心霊スポット〟にあげていた。そしてその亡くなった女性は高齢ではあるが、彼女たちの同業者だというのが定説だ。

驚くのは、古い事件まで彼女たちの間では共有されていて、語り継がれていることである。一九八一年、歌舞伎町二丁目の三軒のラブホで起きた連続女性絞殺事件がそれだ。これは当時、相当、センセーショナルに取り上げられたが、結果的にいま現在も犯人逮捕には至っておらず、いわゆる未解決事件となっている。

これらの事件に共通しているのは、女性が単独でホテルで死亡していることだ。つまり、いまや主流である派遣型風俗に従事する女性たちにとって、過ぎた出来事や他人事ではない、強烈な当事者性がある。それが、冒頭にあげたような、幽霊騒ぎ＝漠然とした不安に繋がっているのではないだろうか。

彼女たちの話を聞いていると、他にも心霊スポットに認定されそうな場所はある。ホスト絡みで、飛び降り自殺（と自殺未遂）が多発したビルなどもそう。歌舞伎町二丁目中心部の某ビルなどは、自殺防止対策まで取ったという。筆者は以前そのビルで、直後の現場で生々しい血痕を目の当たりにし、痛ましい思いをしたことがある。

コロナ禍で客足が悪いといっても、そこは日本一の歓楽街である。今日も彼女たちはそこはかとない不安を抱えながら、仕事に従事する。季節外れの幽霊騒動は、そのあらわれと思えて仕方ない。

サービスの対価

風俗業界はサービス業である。

この見解に異議を唱える人はそう多くはないであろう。

辞書をひくと、「サービス」とは、「接待」あるいは「奉仕」といった意味合いを持つと書いてある。そういえば、何かと話題だった田中康夫元長野県知事は自らの役割を「パブリック・サーバント（公僕）」と称していた。もちろん、社交を始め、風俗業界に関わる人々はパブリックのために働いているワケではない。あくまでも「パーソナル」のために働いているのは言うまでもない。

ご存じのように、我が風俗業界には多様な形態の店舗があり、それぞれのシステムに応じた「サービス」を行っている。そして、社交のギャランティも、やはりそれぞれのシステムに応じて支払われている。僕がここまで、サービスの定義付けのようなものを書いてきたのは、フッと社交のサービス対価が適正価格であるか否か、という疑問が湧いたからだ。

きっかけは、「西川口流」のピンサロ（つまり、本サロですね）で働くある社交が言った言葉だった。二十代後半のその社交は、かつて同じ西川口のヘルスで働き、半年ほど前に本サロに移った。西川口流サービスのシステム、と言ってもご存じではない人もいるかもしれないから、簡単に説明しておきたい。

基本的には通常のピンサロと変わらないが、ウリはズバリ「本番」だ。また、そのための利便性を追求したせいか、ひとつひとつのブースがより独立性を持っているのが特徴だ。なかには、完全に個室となっている店もある。料金はほとんどの店で三十～四十分で一万円が相場。まあ、チョンの間に酒類のサービスがついたモノと考えてもらってもよいだろう（ただし、このテの店でゆっくりと

コラム

酒を飲む客もいないとは思うが……）。

　ちなみに、客が支払う一万円の料金の内、大体六千円が社交の取り分となる。つまり、一本番六千円ということになるワケだ。本番のないヘルスもほぼ同料金であれば、社交の手に入るギャランティも同様の金額となる。本番があってもなくてもギャラは一緒なの？　と訝しがる人もいると思う。実はそこに、社交独特の価値観が感じられて興味深いのである。前述の社交の話に戻そう。

　彼女がヘルスから本サロに移った最大の原因は、「かったるいから」という理由だった。つまり、ヘルスの基本サービスである「フェラ」や「素股」や「全身リップ」の煩雑さにくらべれば、ペニスにゴムをつけて目をつぶっていればよい（そんな単純なモノでもないが）本サロのサービスのほうが、はるかに割がよいと彼女は見たのだ。

　そんな彼女の話を聞いた時、僕は以前、イヤというほど取材していた女子高生たちを思い出した。本番はするけどフェラはNGという、分かったような分からないような「援交」のルール、彼女たちのサービスに対する価値観の不思議さを、だ。

　もっとも、社交たちによっても「お水」と「フーゾク」の境界線は極めてあいまいだ。おそらく何が対価かなど、彼女たち自身も定義付けできないのだろう。大事なことはただひとつ、少なくとも社交自身が納得した上でサービスを行っているということ。そういった意味では、女子高生の援助同様、搾取の入る余地の少ない「商売」とも言えるだろう。

2001年4月

第五章 歌舞伎町消灯

二〇二一年
一月～五月

二〇二一年一月六日

なぜ飲食店だけが悪者に
歌舞伎町住人の叫びが聞こえる
「もう八方塞がりだ……」

新年早々、首都圏の一都三県（東京・神奈川・埼玉・千葉）に、新型コロナ対策の特別措置法に基づく緊急事態宣言が発出されることがほぼ確実となった。七日に「基本的対処方針等諮問委員会」の議論を経て決定、翌八日から効力を発する。

詳細はまだ詳らかではないが、〝要請〟に従わない場合、店名を公表する罰則（予定）を設けるなど、多分に「飲食店」を狙い撃ちにした面があり、窒息寸前だった飲食業界はさらなる苦難を強いられることになった。今回の決定をうけ、なにかと引き合いに出される日本一の歓楽街・歌舞伎町を含む新宿の当事者たちはどう考えているのか？

「いままでも、国や都の要請には従ってきた。厳しいのは事実だが、今回も従う。ただ、夜八時までの営業、しかも酒の提供が七時までとなると、サラリーマン客が中心のウチとしては開けてもほとんど意味がない。なので、週末だけ夕方四時から夜八時までオープンし、平日は休業することにした。少しでも売り上げが欲しいのもホンネだが、コストパフォーマンスにあわないことをしても仕方ない。まあ、なかば諦めだね」

新宿駅からほど近い、歌舞伎町に次ぐ飲食街である新宿三丁目でバーを営む男性は淡々とそう答えた。

一方で、歌舞伎町で同じくバーを営む女性はいまだ思案中だが、基本的には従う方針だという。

「いままでも国の言うことは聞いてきたし、周囲の評判もあるし、そうする（従う）つもり。ただ、今年の正月は八日までしっかり休んで休養する予定だったけど、急遽明日（六日）から前倒しして、夕方四時から十時まで営業します。一日六時間、たった二日間、それからは夜八時までになっちゃうけど、いまは少しでも売り上げを確保したいんで」

一日でも二日でも働き（売り上げをあげ）、緊急事態宣言に備えたい……切実な思いが伝わる。

同じ歌舞伎町のバーでも、女性スタッフを多く抱え、複数店舗を経営する女性は文字通り、頭を抱えている。彼女の店は前回の緊急事態宣言の時短要請には応じたが、年末に都から要請があった時短要請には従わなかった。

「（今回の）時短要請は一事業者に対しての補償。私のように複数の店舗を営業している者にとっては、（都の）補償金ではお話にならない。そしてなにより、店のスタッフたち。女の子たちのなかには、ウチの収入だけで生きているコもいる。そのコたちを見捨てるワケにはいかないでしょ？」

自らの糧だけではなく従業員の生活を……これは多くの事業者が悩み、時には非情な決断を強いられることもあるのだろう。彼女が続ける。

「年末から様子を見ていて、ヤバい雰囲気だとは思ってはいたけど、それでも前向きに、自粛明けにはもっとシフトを入れてあげなきゃ……とか考えていた。でも、残念だけど状況が変わった。緊急事態宣言となれば周囲の目も厳しいだろうし、正直、八方塞がりの状態です」

酒の提供を含む、飲食店の感染リスクが高い、というのは専門家会議でも指摘されているのは事実だ。しかし、今回の政府のやり方は、海外からの流入などは無視し、飲食店だけを「悪」として締めつける気配が濃厚だ。そして、ネットを中心に「だから、飲食店は……」との非難の声がそれに和す。物事のもっとも弱い部分から手をつける……お上の常套手段にいま一度、留意して欲しいものだ。

一月十四日

三度目の緊急事態宣言発令、歌舞伎町ルポ
飲食店・キャバクラは全面降伏
遊びたい若者たちは『居酒屋難民』に

一月七日、首都圏一都三県（東京・神奈川・埼玉・千葉）に緊急事態宣言が発出された。報道等でご承知の通り、主として飲食店をターゲットにし、夜八時まで（酒類の提供は七時まで）の時短を要請した。そして、当日の夜八時……街はどのように反応したのか？　日本一の歓楽街・新宿歌舞伎町の〝その時〟をルポした。

筆者がまず思ったのは、意外に人が多い、ということだった。そのほとんどが、若者たち。そしてキャリーバッグを引く少数の観光客らしき外国人だ。通常・歌舞伎町の主たる客層であるサラリーマンらしき集団は、ほとんどみかけなかった。このあたりに、現在、コロナ禍に対する世代間価値意識の違いを感じないではない。

もっとも、八時を前に続々と閉店する歌舞伎町を見て、「なにこれ！　ホントに新宿？　真っ暗じゃん！」と〝リアル〟に驚いている若い女性三人組もいた。こうなると、世代間

格差以外に、ある種の情報格差（情報関心度）もあるのかもしれない。

なかには「強者」たちもいて、若い二人組の男性はウロウロしたあげく、声をかけられた客引きに「キャバクラ行きたいんですけど、どこかありませんか？」と聞く始末。客引きのほうは、「キャバクラですかぁ、ちょっと待ってください。確認します」と言って携帯で連絡をとり、若者たちを導いていた。

言うまでもなく、歌舞伎町の客引きはほぼ一〇〇パーセントぼったくりであり、彼らに悲劇が待ち受けていることは想像に難くない。


現在、歌舞伎町では大手キャバクラチェーンが緊急事態宣言を受けて休業を告知するなど、その影響は接待を含む飲食店（風営法許可店）にも波及している。客引きの言動は、そのなかでも「闇キャバ」的な店が存在することを示唆している（もちろん、優良店で休業しないところもあるだろうが）。

一方、要請を受けた店側はというと、これはほぼ「全面降伏」に近い状態で、中心部では八〜九割の店舗が夜八時をもって店じまいをしていた。そのなかで、一部の居酒屋などが要請に従わず営業を続けている形だ。もちろん、それぞれ背に腹は代えられぬ事情があるワケで、ことさら非難される筋合いはないだろう。

もっとも、そのおかげで多くの若者たちが、〝居酒屋（飲食店）難民〟となり、開いている店を求めて街をさまようことになったのは事実だ。そんな状態だけに、わずかに開いている店舗は概ね、満席の活況を呈していたのである。これはある程度、想像されたことであり、店舗側も十分な対策をとっているハズだ。おそらく、この状態はしばらく続くと思われる。

総じて筆者がルポして見えたのは、飲食店側はできることはほとんどやりきった、とい

これが本当に歌舞伎町なのか（筆者撮影）

う感じだ。あとは、客側の判断・行動次第なのではないか。いずれにしても、一都三県で始まった緊急事態宣言は関西、そして中京圏でも発出される見込みだ。二月七日に開ける予定の宣言の結果は、果たして吉と出るか凶と出るのか。

一月二十日

朝方が〝儲け時〟だった風営法下、ホスト、キャバクラが大ピンチ一方、ガールズバーは昼営業へ転換

一月七日、首都圏一都三県で発出された緊急事態宣言は、一都二府八県の計十一都府県に拡大されたが、十日以上たった現在も顕著な感染防止効果があらわれていないのが現状だ。

そんななか、集中的な感染防止対策の要としてあげられた〝飲食店〟への風当たりが、マスコミ・ネットを問わず騒がしい。「補償金だけでは足りない」「いや、むしろ儲かっている店もある」など当事者でもないのに、侃々諤々(かんかんがくがく)の様相である。

筆者がここ一年の取材で見た限りでは、ほとんどの飲食店についてはでき得ることはすでにやってきた（やっている）というスタンスなので、この議論に加わるつもりはない。いま注目したいのは、時短要請で根本的に営業を変化させざるを得ない店の実態である。日本一の歓楽街・歌舞伎町で言えば、まずあげられるのが一時〝戦犯〟とも揶揄（やゆ）されたホストクラブだ。

今回の時短要請で意外に注目されていない点が酒類の提供時間についてだ。店側が提供できる時間は、午前十一時から夜七時までの八時間。これに多くの居酒屋などが嘆いているワケだが、実はホストもキモとなる「稼ぎ時」を封印されてしまっているのだ。

言うまでもないが、接待を含むホストクラブは基本的に風俗営業法の規制に縛られる。風営法で定められている営業時間は、歌舞伎町など大歓楽街の場合、日の出から深夜一時まで。しかし、今回の時短では午前十一時にならないと酒類は提供できない。つまり、一仕事終えて、朝方に来店する風俗嬢などの〝太客〟を逃してしまうのだ。同時に午後八時頃から深夜一時までの「第一部」と言われる時間帯の客層もＮＧだ。これは事実上〝休業要請〟に等しく、今回、ホストクラブ側に時短要請を拒む店があるのは、この理由も大きいと思う。

ホストクラブ同様、朝方に営業していた店にはキャバクラがある。いわゆる「朝キャバ」

だ。（ホストクラブ同様）風営法の順守をお上が厳しく取り締まるようになった近年に増えてきた業態だが、これはこれで一部の客層から支持を受けていた。

また、夜八時頃から深夜一時までというホスト同様の営業形態を持つキャバクラにとっても、これは実質的な休業要請となる。そのため歌舞伎町の大手チェーンなどは休業を決断したが、体力がない経営者の場合、時短要請に応えないという選択肢しかないのだろう。

もちろん、いわゆる「三密」にあたるケースがほとんどのこれらの業種が、コロナ禍で営業を続けることに批判が多いのは当然だ。しかし、彼らにしても生活のたつきがかかっているワケで、その対応は行政側もある程度、考慮する必要はあるのではないか。

その隙をついて……というワケではないだろうが、現在歌舞伎町で増えているのが、午後早い時間から開店するガールズバーだ。もともと、深夜酒類提供店として営業している店が多い、〝グレーゾーン〟の立場なのだが、まだ日が沈む前から歌舞伎町の各所で、女の子たちが呼び込みをしているのが目立つ。

緊急事態宣言下でいつもより、客足の少ない歌舞伎町だが、それでも若者を中心にそぞろ歩く人はいる。数少ない客の争奪戦が、彼・彼女らの使命なのだ。

一月二十七日

コロナ一年、明暗分かれる歌舞伎町「勝者」となったのは〝若い女性〟に客を絞ったホストクラブか

コロナ禍、まる一年たつが、収束の目途はいまだたっていない。筆者はこの渦中、マスコミやネットにより半ば「戦犯」扱いされてきた日本一の歓楽街・歌舞伎町を定点観測してきた。およそ、週の半分は現地に足を運んだと思う。率直に言って街自体は青息吐息、住人たちは終わりの見えない戦いに疲れを隠せない。

そんな、現時点で少しずつ業態ごとの反応に違いが見えてきた。語弊を恐れず言えば、「勝ち組」と「負け組」に分かれてきたようなのだ。つい先日、歌舞伎町のメインから少し外れたビルの外壁を見て驚いた。コロナ以前は、歌舞伎町の実質的な風俗王（都内一の風俗王と言ってもいいだろう）が率いるグループ店舗の広告が出ていた場所が、某大手ホストグループの広告に代わっていたのだ。

もちろん、風俗王が率いるグループは莫大な資金と多岐の業種にわたり、コロナ禍にも

屈することはおそらくないだろう。それでも、「無駄」と思える出費は控えるようになったのではないか。看板店で歌舞伎町の有名店でもあるレストランは、長期休業中の状態だ。

そのような状態を考えると、ホストクラブは結果的にではあるが、コロナ禍において「勝ち組」に入るのかもしれない。むろん、平時と比べれば「どこが勝ち組だ」というお叱りも受けようが、客層が圧倒的に〝若い〟女性。ホスト自身も若年だ。新型コロナに罹患することに怯えている中高年とは違い、万が一の場合でも「若いから大丈夫」という心理が働いていると思われる。

いまひとつ、最初の緊急事態宣言時に強い批判を受けたパチンコ店もまた、「勝ち組」に入るかもしれない。もともと、他者とはしゃべらない業態で、また、店側の努力もあり、広い店内で換気を徹底すればリスクは他業種に比べてまだ少ないとも言える。さらにはっきり言えば、客の多くは一種の「依存症」に近い。彼らにとっては不要不急ではなく有用有急な存在なのだ。そこも、コロナ禍でも一定の需要が保たれる理由と思われる。

一方「負け組」に分類されそうなのは、圧倒的に居酒屋を筆頭とする酒類を提供する飲食店だろう。特に店舗規模が大きく、従業員を多く雇っているところほどダメージが大きい。

本来なら、多くの雇用を生んでいるという意味では、国への貢献度も大きいのだが、現在の国の対策下においては不公平感を拭えず、この一年で数多くの居酒屋が閉店していくのを、筆者は歌舞伎町で目の当たりにした。

先日、取材の終わりに歌舞伎町のメインストリートにある、某有名飲食店で遅いランチをとったのだが、平日の午後四時とはいえ、広い店内に客は筆者ひとり……平時なら、多くの客で賑わう人気店にもかかわらず、だ。

ネット世論を中心に「不要不急」の最たるものだ、という批判にさらされることの多い、酒類も提供する飲食店だが、これらの業種を含むサービス産業は国内経済の約三割にも及ぶ。いわば国の重要な要だ。歌舞伎町の苦衷は日本全国の縮図、と言ってもいいのではないか。

存在感を増すホスト

「無理目の注文が多くて困っちゃうんだよね。五千円で抱えきれないほどのバラの花束とか(笑)。あの人たちも、大変なのはわかるけど、こっちだってボランティアでやってるワケじゃないからさ」

そう苦笑いするのは、廉価生花店の店員。知己の店に周年祝いの花をしようと立ち寄ったとき、ふと耳にした言葉だ。

〝あの人たち〟とは、おそらく入れ替わりで、バラの花束を抱えていった二十代前半と思われる男性のことだろう。細身の身体に、(ブランド物に疎い筆者でも)さして高級なシロモノではないということは判断できるタイトなスーツ。ジャニーズ改め韓流スターのような髪型……明らかにホスト、それもヘルプクラスだ。

店員の嘆きも理解できる。さして満足げでもなく抱えていったバラの花束は、通常五千円ではあり得ないボリュームだったからだ。が、〝あの人たち〟の辛さもまた理解できるのだ。それもちょっとした想像力で。

彼らの懐に入るカネは、世のオヤジ→キャバ嬢(フーゾク嬢)→ホストのフローとなっている。そのホストから、一部キャバ嬢などに還元されるからくりが面白いのだが、それはともかく、一番基本のオヤジたちが出口の見えない不況に四苦八苦……。残念ながら、キャバやフーゾクに落とすカネもままならない。惚れたはれたとは言っても、ホストとオンナの関係は所詮、泡沫、カネの切れ目が縁の切れ目というのが正直なところ。なんの記念日かはわからないが、五千円の花束は、結果的にホスト業界の現状をかいま見させてくれている。

バラの王子の他日、旧コマ劇場近くの定食屋でのこと。ふと奥のテーブルに目をやると、これま

コラム

たホスト風の男性二人と、いずれにしてもキャバかフーの女子が一人。仲良く、焼き魚定食などを食し、談笑していた。少しして、ギャル風が立つと伝票を手にして一言。

「ここは払っておくね」

三人合わせて、二千円前後だろう。彼女たちもまた辛いのだ。もっとも、そこは蛇の道。ギャル風が帰ると男性のひとりがぼそっとつぶやいた。

「前カノと同じ名前って言ってあるから大丈夫……」

二股の予防線か。その強か（したた）さは、さすが歌舞伎町の住人ではある。

多少は活気があると言われているゴールデン街。そこで〝名物店〟の店主が亡くなった。事情通によれば、つい先日、パートナーであるママに先立たれたばかり。彼の街では珍しく「歌舞伎町スタイル」での営業形態だった。決して若いとは言えない店主にとって、仕事はおろか、人生にも意味を見いだせなくなったのか、店内での孤独死であったという。かりそめの色恋で成り立つ街で、数少ない美談、と理解したいのは筆者だけだろうか。

2012年2月

四月二十六日

「まん防」「アルコール自粛販売」そして「夜間照明・ネオン消灯」へ行政が仕掛ける飲食店への無理筋

小池都知事ら首長の要請により、政府は四月十二日からまん延防止等重点措置、いわゆる〝まん防〟（この呼び方はなんとかならないのか）を首都・東京も含め十一都府県に拡大した。東京の場合、二十三区と西部の代表的繁華街である吉祥寺がある武蔵野市など、多摩地区六市で実施されることとなった。

新宿・歌舞伎町でバーを営む経営者がため息まじりに話す。

「うちは常時ドアを開けて換気し、ビニールシートをつけ、消毒液を常備し、客席数も絞っていた。ただ、このまん防では区切りの衝立があるかないかも、厳しくチェックされるということで、慌てて購入してきたよ。もうこうなったら、やれと言われたことを粛々とやるしかない。効果があるかどうかは別にして」

すでに歌舞伎町の多くの店では、衝立等を常備しているところも多かったが、都は飲食店により厳しく臨む姿勢を強調している。特に東京の場合、小池知事の〝要請〟で警視庁が協力しており、特に歌舞伎町では警察官による巡回も目立っている。警察にコロナ下での自粛巡回を依頼することには賛否がわかれるだろうが、当の店にとっては、たとえ要請を遵守していてもプレッシャーが大きいのは想像に難くない。

そしていまひとつ、経営者たちを悩ませるのは、やはり「金」の問題だ。歌舞伎町を含め二十三区内に複数の店舗を持つ、女性経営者は自嘲気味にこう証言する。

「私たちが申請したのは、都関係でいうと最初が去年四～五月の緊急事態宣言対象分。四月に受付が始まって六月半ばまでの申請期間だったので、結局、審査やなんやで入金されたのが三カ月以上先だった。このサイクルはほぼ変わらず、申請から入金までタイムラグがある。でも支払いのほうは、固定費、従業員満額補償に加えて、プラスアルファの社会保険、ついでに言えばその期間に家賃の更新もあった。それらは待ってはくれない。ウチの場合、従業員数もそこそこいるので、いま私が融資や蓄えの切り崩しをして、立て替えている額が七百万円近く……正直、なかなか痺れる状況が続いていますよ」

緊急事態～ということで、ある程度の期間は仕方ないにせよ、一律の協力金支援が長く続いたしわ寄せは結局、現場に押しつけられているのである。

そして四月二十五日。政府は変異株によるコロナ感染の急増を受けて、三回目となる緊急事態宣言を四都府県対象に発出した。期間はGW明けの五月十一日まで……の予定だ。感染が止まらない大阪府、それに東京ではこれまで以上に厳しい条件を事業者に課した。

東京の場合、生活必需品を除く大型商業施設への休業要請等、そして飲食店には引き続き午後八時までの時短営業を求めるとともに、終日「アルコール類」の販売自粛を求めたのだ。これは、バーなどはもちろん、料理を安く提供しアルコールで利益を出す居酒屋などにとっては、実質的な休業要請に等しい。

今回、政府は二十三日に発出、その二日後から実施という駆け込みスケジュールを強行したが、仕入れや従業員のスケジュールを管理しなければいけない飲食店にすれば、言葉は悪いがだまし討ちに近い仕打ちだ。彼らの怨嗟はけっして小さくはないだろう。

実際、筆者は実施当日の二十五日、歌舞伎町とその周辺の繁華街をリサーチしたが、「生活に必需」と営業継続を決断した寄席・新宿末廣亭近くの飲み屋街では、相当数の飲食店が通常通り昼飲みを継続していた。また、若い層を中心に客もそれなりに賑わってもいた。

今後の状況はわからないが、四月二十三日の会見で、小池都知事が大切なキーワードとして八回も繰り返した「ステイホーム」は、お膝元の人々に「ノー」を突きつけられた形だ。

一方、対照的だったのは歌舞伎町で、「悪の権化」のように決めつけられたトラウマか、一部の店舗を除いては、全面降伏に近い形。昼飲みを行っている店はほとんどなかった。

もっとも、賑わっているのは「昼飲み」続行で腹をくくった店だけで、新宿駅すぐそばにある居酒屋スタイルの人気飲食店は、要請に従い終日、アルコールの販売を禁止した。古株のスタッフは、「アルコールを出せなければ話にならない。どうするかって？　もう仕方ないよね。いまは言うことを聞くしかない」とあきらめ顔で笑った。事実、いつも満席の店内にはひとりの客しかおらず、話を聞いている途中、「ビール飲める？」と入ってきた男性客はノンアルのみと聞くと、踵を返して出て行った。これがアルコールのない居酒屋の偽りのない姿であろう。

そして最後にひとつ、都知事は会見で、

「期間措置中は、夜間照明・ネオンサイン等も、二十時以降の消灯をお願いをいたしております」と明言し、協力を要請した。

繁華街で完全にネオンを消すというのは、防犯上よろしくないのは、警察はもちろん、繁華街で生きる人間なら誰でも理解していることだ。逆に歌舞伎町の一部組合などでは、時短営業中も防犯のために（電気代の負担にはなるが）閉店後も看板などの点灯を依頼していたほどだった。これについては、早期の再考を強く願いたい。

死ぬか生きるか？ 風俗業者たちの〝コロナ戦記〟

新型コロナウイルス対策による救済策から除外された存在のひとつに、性風俗産業がある。国は除外した理由として、「性風俗業は性を売り物にする、本質的に不健全。給付金対象から除外するのは合理的」との理由を答弁書で出した。それに対し、大阪のデリヘル業者が、『『この職業だけは助けない』と国が決めることは、命の選別であり職業差別だと言えます」と、国や給付金事務局を担う企業に対して訴訟を起こしている。その第一回口頭弁論が、二〇二二年四月十五日に東京地裁で開かれた。

筆者は大阪の業者の志を諒とするし、国の答弁に言いたいことも多々ある。が、前略・中略・後略……いまは、訴訟などは起こさない、その他ほとんどの性風俗業者が、どのようにこのコロナ禍を生き延び、さらにどう生きていこうとしているのか？ について述べたい。

最初の緊急事態宣言が実施された二〇二〇年四月七日～五月六日までの一ヵ月。歌舞伎町にあるソープランドやヘルスなど、伝統的な性風俗店はごく一部を除いて休業した。筆者が現場で確認した限り、ソープランドなどは歌舞伎町だけではなく、隣接する新宿三丁目の店舗も同様であった。本質的に性風俗店、特にソープなどの伝統店はお上には逆らわないという体質があり、この休業も多分に世の〝空気〟を読んだところがあるように思える。

しかし、緊急事態宣言が明け、また国会などの議論でも「性風俗店」には補償をしないという現実が見えてくると、これらの風俗店は粛々と営業を再開し始めた。無論、彼らとて無策で再開をしたワケではない。キャストの不安を取り除く必要だってある。風俗情報サイト『俺の旅』編

コラム

集長の生駒明氏は、個々のケースをこう説明してくれた。

「まず、プレイスタイルに工夫をし、客に安心感を持たせました。そのひとつが、希望するお客さんには女の子にマスクをさせる、ということ。実際の効果はともかく、なによりも安心・安全のイメージをつけると。そして、もっと極端なものとしては、相互鑑賞プレイを実施したところがあります。客と女の子は非接触で距離をとり、お互いのマスターベーションを見せ合うというものです」

確かに、性風俗店には以前から相互鑑賞という〝オプション〟もあったが、それをメインプレイにするというのは思い切った判断だ。当然、接触でのヌキがない分、料金は割り引きになるのだが、そこら辺りの柔軟さと言うか割り切りの速さは、百戦錬磨の性風俗産業ならでは。お役人も少し見習っては？　と言いたくなるほどだ。

また、生駒氏によれば、「オンライン・デリヘル（ネットを利用した相互鑑賞）」なるものも出来(しゅったい)しているという。実際、いま現在、歌舞伎町の風俗店のなかでは、所属する風俗嬢に定期的なＰＣＲ検査を義務づけているところもある。要するに、「国の補償がないのなら、自身の体と頭を使って生きていく」という、究極の自助努力と言えよう。国に見捨てられた彼らもまた、生死を賭けてこのコロナ禍と闘っているのである。

2021年5月

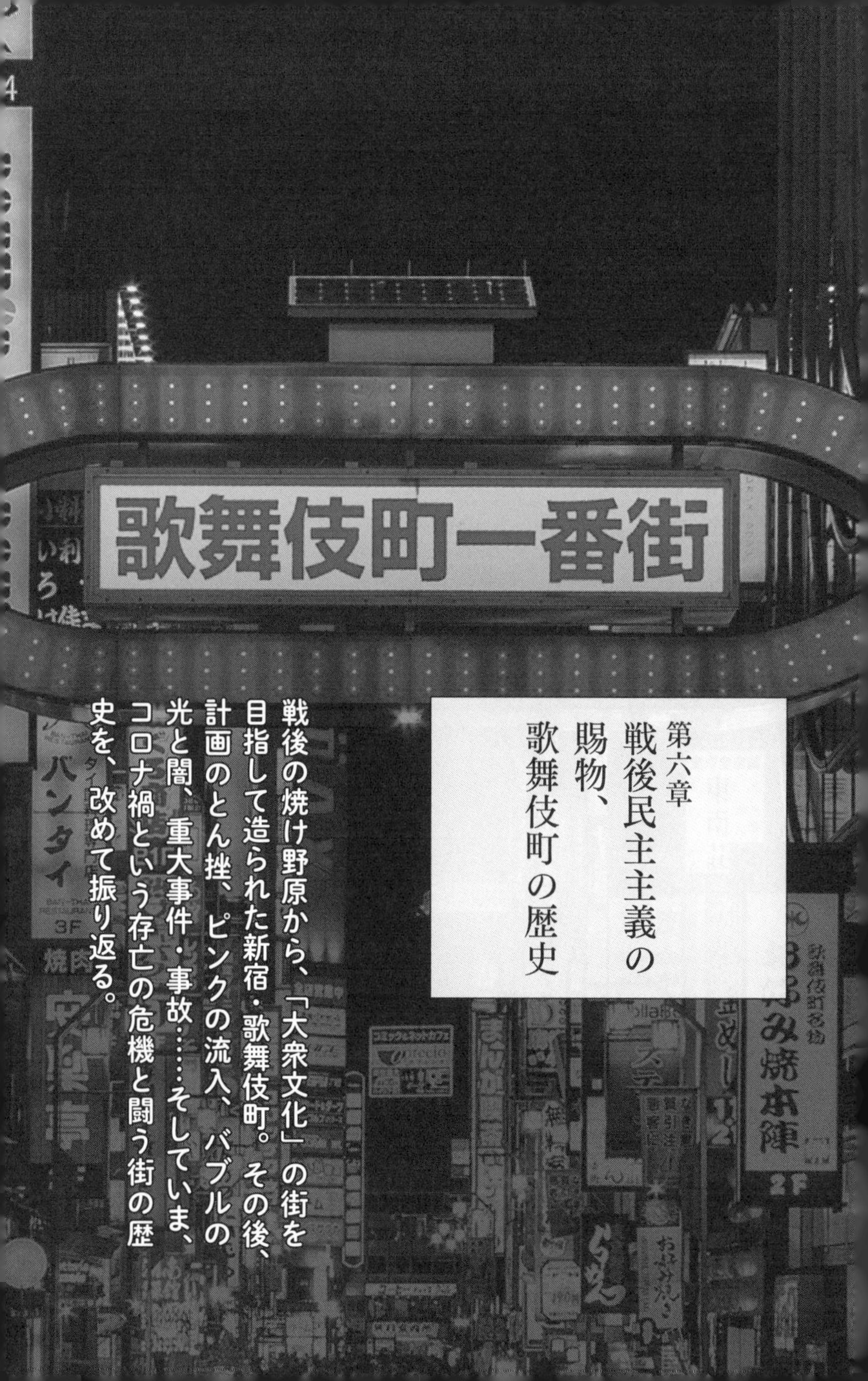

第六章
戦後民主主義の賜物、歌舞伎町の歴史

戦後の焼け野原から、「大衆文化」の街を目指して造られた新宿・歌舞伎町。その後、計画のとん挫、ピンクの流入、バブルの光と闇、重大事件・事故……そしていま、コロナ禍という存亡の危機と闘う街の歴史を、改めて振り返る。

戦後が生んだ街

歌舞伎町は、戦後の焼け野原から突如として出現した〝造られた街〟である。現在の歌舞伎町一丁目と二丁目は、旧行政区分の淀橋区と四谷区の一部にあたり、また当初の予定より周囲を飲み込む形で膨張を続け、いまの形となった。例えば、現在のコリアンタウンの一部などは、当然のごとく「歌舞伎町」の範囲内に含まれていなかった。

そもそも、「歌舞伎町」の由来自体が、歌舞伎という伝統文化の施設（新歌舞伎座）を建設することを念頭に名付けられたものである。計画は、都市計画の第一人者と言われた石川栄耀（ひであき）が中心となって、健全な娯楽の町を目標として線引きも行われたという。

もしは歴史のタブーだが、石川らの想定通り、歌舞伎の殿堂が町の中心部に鎮座していたら、歌舞伎町という名前のイメージは随分、違ったものになったハズだ。計画の是非は、それこそ後の歴史に問うとして、結果的に新歌舞伎座計画は頓挫（とんざ）、コマ劇場こそできたが、当初の思惑通りに都市計画は進まなかった。

理由はいろいろと考えられる。文字通り、〝多様〟な土地権利者たちの思惑、戦後の物資不足からくる大規模建築の制約、あるいは一九五八年の売春防止法施行で、新宿二丁目や新宿花園を含む三光町の赤線・青線が姿を消した（何処かに霧散（むさん）した）ことも遠因にはあるのかもしない。

また、なし崩し的なエロスの流入が街のイメージを百八十度転換させたことは間違いないだろう。が、しかし、これら計画の頓挫理由も逆説的に言えば、戦後民主主義の賜物と言えなくはないのである。

その後の歌舞伎町の変遷は世間のよく知る通りだ。まるで、うち捨てられた龍が無制限に巨大になっていくように、この街は独特のカオスをまとった東洋一の歓楽街にのし上がった。

詰まるところ、いまの歌舞伎町は、人間が考えた「理想」を「欲望」の臓腑へと飲み込んだ街なのである。

風営法改正の衝撃

一九八五年二月十三日午前零時、いま思えば、筆者が二十歳のときであった。「風俗営業等取締法」が「風俗営業等の規制及び業務の適正化等に関する法律」に改正され、施行されたのは。

その頃、歌舞伎町で細々と営業職を営み、口を糊していた筆者の〝顧客〟は、ほとんどが水商売だった。とはいえ、こちらはションベンくさい小僧、相手はこの道ウン十年、海千山千のママ、マスターたちである。常日頃、歌舞伎町のいろはを吹聴（？）され、ときに閉口したものだが、その彼女・彼らたちも、あのときばかりは、不安顔で探りを入れてきたものであった。

「お昼（午前零時）を回ったら商売ができなくなるってホントかな？」

風俗営業の法的分類を説明する紙幅がないので、詳細は割愛するが、基本的に接客を含む営業形態＝風俗営業の範疇とされ、クラブ、スナックなどは、法を厳守すれば午前零時以降（地方によっては午前一時）の営業が御法度となる。特に対異性サービスに狙いを絞った感も強く（この時点では、同性に対するサービスは含まれなかった）、実質的に歌舞伎町を支えてきた〝オンナ〟たちにとっては文字通り死活問題、関心を持たざるを得なかったのである。

結論から言えば、良くも悪くも官僚的であった鈴木俊一、いろいろな意味で奔放な青島幸男、両知事下での歌舞伎町は、お上との阿吽（あうん）の呼吸ではあるまいが、この街らしい曖昧さを保ったまま、ごく近年までは「らしさ」を保つことになる。それでも、さすがに施行直後は誰もが息を潜め、鵜の目鷹の目、風向きを気にすること尋常ではなかった。施行当日、零時にコマ劇場（当時）前広場の電気が一斉に消え、まるで西部劇に出てくるゴーストタウンのようになった場面は、いまも目に焼き付いている。

それでも、この街の凄みは風雨が通り過ぎれば、規制なんぞどこ吹く風とばかり、いつしか深夜二時、三時……と「通常営業」に戻っていったことだ。そう、不滅の要塞の如く、歌舞伎町不夜城は再び闇の中に煌煌（こうこう）とネオンを放ち始めたのである。「摘発されませんかね？」と彼女たちに、及び腰で筆者が問いかけると、「ああ、そのときは店に遊びに来てるって言うわよ。あっはっは」。

この街のオンナたちはしたたかなのだ。

歌舞伎町はオンナの街……現時点でそれを否定する人は少ないだろう。戦後復興の一環としての都市計画が頓挫し、健全娯楽の街としてのデザインが道半ばで消えたときに残ったのは、点在する中途半端な箱物のみだった。結果的にそれを有効利用し、この街を隆盛に導いたのがオンナたち（とそれを利用する男たち）であったことは間違いない事実である。

また、その方程式はいまも一貫して変わっていないように思える。

例えば、一九七〇年代から八〇年代にかけて、全国的盛り上がりを見せていたディスコブームですらそうだった。ブラックホールのような吸引力を持つ歌舞伎町はもちろんブームを飲み込み、狭いコマの一角にはディスコが軒を競い、シノギを削っていたものである。

メッカ・東亜会館の「GBラビッツ」「グリース」、会員証代わりのキーホルダーが印象的だった「ニューヨークニューヨーク」。ちょっとトンがった「XENON」……。これ見よがしにキーホルダーをぶら下げていた筆者などは、いまとなっては赤面モノだが、もちろん目的は踊りに行くことではない。わらわらと群がるオンナたちとお近づきになりたい、というスケベ心が足を運ばせたのである。

万が一（まずない。為念）、思惑通りに仲良しになれたとしても、〝その後〟の行動に泡を食う心配はこの街じゃ無用だ。すぐ裏手、花道の向こうには隠微なラブホテルのネオンが数多く出迎えてくれる。その統一性のない猥雑感というか、妙な親和性……それこそが、歌舞伎町の魅力なのである。少なくとも、健全娯楽の街では見られない特徴だ。

それでも、愛欲の場に収まりきれなかった、あるいは財布の中身が心許ない若者たちはどうするのか？　現在の歌舞伎町を見る限り、それはどうやら、いまも変わらないようだ。また、哀れあぶれた連中はというと、客を眠らせまいとガチャガチャ音がやかましい深夜喫茶にたむろするか、路上で始発を待つのが常道。敗北感たっぷりと、コマ広場にふて寝する筆者などは、おまわりさんの〝同情的〟な無視に何度も救われたものである。

極論を言えば、歌舞伎町はオンナに対する男の欲情のみで成り立っている街、と言っても過言ではない。深夜、激辛ラーメンをすするオンナも、またそれにむらがる男も、ちょっと見には、オンナには不自由をしないように思えるイケメンも、すべてはオンナを中心としたカオス的欲情の世界にたゆたっているのである。そしてここで言うオンナが、国籍を問わないことは街の成り立ちから言っても当然なのである。

もし酒がなくなっても、この街は変わらないかもしれない。あるいは、怪しさたっぷりの射精産業が消え失せたとしても生き延びる可能性はある。だが、これだけは断言できる。オンナが消えたら歌舞伎町は死ぬ。

ポン引き

以下は、二〇一〇年のエピソード。

「買い物袋ぶら下げて、急ぎ足で歩いているのに、『お姉さん、遊んでいきませんか』だって。私の身なりとあわせてみれば、店開ける前ってわかりそうなものだけど」

新宿ゴールデン街のとあるママがそうフンガイする。声をかけてきたのはホスト、プロなら相手を見て客引きをしろ……ということ。

まあ、プロ意識が低いホストが多くなったのも事実だが、それもやむを得ない。彼らはかつてのように、営業が出来ないのだ。別段、法律が変わったワケではない。風俗営業法(接客する水商売等)を「キチンと」適用した結果、深夜一時(歌舞伎町地区)から明け方までは店を開けることが出来なくなってしまったのである。

ご存じの方も多いと思うが、いまのホストの主たる客はお水や風(俗)の女のコ。つまり、彼女たちの仕事がはねた後、つかの間の生き抜きが出来る空間さえもなくなって来ているのだ。結果的に、〜一時までに、歩いている女性(前述のような)には、見境なく声をかけるし、これまでの客たちは、その時間的特性もあり、朝方に遊ぶハメとなった。

素人も同じだが、朝酒、昼酒は効くというのが相場だ。そんな影響もあるのだろう、朝方から昼にかけての歌舞伎町では、乱痴気騒ぎとしか言いようのない酔態の若い女性を多数見かける。これは、ホスト客に限ったことではない。男性側の泡沫の夢であったキャバクラも同様。深夜、零時以降の営業はまかりならん、と見せしめに一店、二店……お上の摘発が続き、かつて華を競って闊歩した、きらびやかな蝶たちもパタリと減った。それでもって朝キャバですと…これはサラリーマンには、土台無理な話だ。

コラム

それではみな、深夜遊びをやめてしまったのか？　そんなハズはない。いま深夜の歌舞伎町を歩いていると、バブル期のさなか、とまではいかないが、かなりの人出である。しかし、バブル期と違うのはそのほとんどが呼び込み、客引き、あるいはポン引きなどの店側の人間だということ。ガールズ・バーも一興だが、やはりお姉ちゃんのお酌で……というムキのため、蛇の道は蛇とばかりに、舌先三寸、

「まだまだやってる店ありますよ。キャバ、風俗どっちでも」

そんな昔懐かしいポン引きたちが跋扈（ばっこ）してきたのである。

筆者は、嘆いているワケではない。それもまた歌舞伎町というカオスの装飾品のひとつでもある。

2010年11月

中国マフィアの台頭

一時期の間、アブナイ街・歌舞伎町から、本当に怖い街・歌舞伎町へと変貌させた事件のひとつが、〝いわゆる〟青竜刀事件だ。

一九九四年八月十日午後八時頃、歌舞伎町のランドマークである「風林会館」のすぐ近くにある路地の中華料理店「快活林」に中国人と見られる五人の男が乱入。刃物で店長を含む二人を惨殺した。これは後に、映画や小説などに影響を与え、凶悪な中国マフィアというイメージを決定づけた出来事となる。

しかし、このイメージにはある種の思惑というか、バイアスがかかっているようだ。それは事件の凶器は〝青竜刀〟であると（それ故に「青竜刀事件」である）恐怖感を煽っているのだが、実際の凶器は鋭利ではあるが刺身包丁であったという。なぜ、そうなってしまったのか。

この事件の数年ほど前から、歌舞伎町でクラブから売春まで隆盛を誇っていた台湾人たちは往時の勢いを失い、その代わりに台頭してきたのがニューカマーと呼ばれる中国人だった。留学生くずれや留学生を装ったもの、蛇頭（スネークヘッド）と呼ばれるギャングたちの手引きで密入国した福建人などである。彼らは正職につくのが困難で、その一部は歌舞伎町で飲食店、売春、中国人相手の賭博などに手を広げていった。

彼ら中国人が、上海人、北京人、福建人など地域ごとに分かれて徒党を組み、それが利権争いとなって激しさを増し、殺傷事件にまで発展したのである。快活林事件で言えば、襲撃した側が上海人で襲われた側は北京人であった。つまりは中国人マフィアがやくざ張りに何々派と分かれて抗争を起こすまでに治安は悪化したのである。

これにいち早く反応したのが警察などの治安関係者だ。実は、青竜刀云々のくだりも、中国人マフィアの残忍性をPRするため、あえて錯綜する情報を権力側がスルーしたという話もあるのだ。この他にも、実行犯は金で雇われた福建人という噂も根強く、いまなお未解決な部分が多く残る事件となっている。

一九九九年、中国に〝厳しい〟石原都政が発足したことに伴い、彼らの勢力は衰えた。いまのところ、表立っては歌舞伎町で彼らの動きは見えない。

中国人ホステスの本音

先日、新宿の行きつけの酒場で飲んだくれているとき、店のママに「ちょっと話があるの」と店外に呼び出された。

店の外に出ると、目つきの鋭い男がふたり立っていた。ひとりは四十代後半、もうひとりは僕よりも若い。おそらく二十代後半くらいの男だった。ママが言った。

「昔のお客さんでねえ、警察の方なの」

特に、何があるというワケではないのだが、いきなりサツの前に呼び出されれば、たいていの人間は緊張するだろう。僕も一瞬、酔いが醒めるような思いをしたのであるが、実際の用件はあっけないものだった。

彼らは、ある強盗殺人事件を追っていて（おそらく犯人は中国系の人間と思わる）、福建の人間が出入りする歌舞伎町のディスコを探しているという。ママは仕事柄、歌舞伎町に詳しい（と思われている）僕にどこか思い当たる場所はないかと思い、呼び出したのであった。もっとも、サツの探しているディスコは社交ビルの一室にあるという、やや「秘密クラブ」めいたところらしく、僕も場所の特定はできなかったのだが……。

結局、思い当たることがあったら後で連絡するということで、名刺交換をしてその場は終わった。歌舞伎町の犯罪の国際化がさけばれて久しいが、実際に『不夜城』のような事件が身近に起こっている、と感じさせてくれる出来事ではあった。

警察に協力するのは善良な市民の義務、というのはタテマエで、仕事柄、サツとは仲良くしておいたほうが良い、ということもあり、翌日早速、知り合いの中国人社交に連絡をとってみた。

歌舞伎町の某クラブに勤めるMというその社交は、まだ起きたばかりなのか、いささか不機嫌そうな声でこう言った。

コラム

「福建のことはヨク知らないネ。ワタシたち、あの人たちとつきあいがないから。でも何かわかったら連絡スルネ」

当然、サツのことは伏せて、慎重に聞いてみたつもりだったのだが、それでも僕の話の中になにか「やっかい」なことを感じたのか、それとも上海人である彼女には、ホントになにも情報がなかったのか、いずれかはわからないが、店にいるときの「陽気な社交さん」という雰囲気とは違って、やや素っ気なく電話を切った。

１９９９年４月

2021年4月24日、緊急事態宣言発令前日の「駆け込み需要」（筆者撮影）

ビル火災の悲劇

二〇〇一年九月一日未明、東京新宿の大歓楽街・歌舞伎町一丁目にある明星56ビルで火災が発生した。ビルのある場所は靖国通りから入ってからほど近い、歌舞伎町一番街という、いわば街のメインストリートのなかにある建物だった。もっとも、その煌(きら)びやかなイメージとは裏腹にビル自体の防火意識は極めて低く、またそれは他の歌舞伎町の社交ビルも同様に抱えていた問題でもあったのだ。被害者は三階及び四階に集中し、死亡者は四十四人、全員この二フロアである。当時、三階にはテレビ麻雀ゲームの「一休」、四階にはパブ「スーパールーズ」があった。

三階にある「一休」があるフロアは後の調べで火元とみられる場所だが、この「一休」は単なるテレビ麻雀ゲームの店舗ではなかった。というのも、このテレビ麻雀店は実際に金を賭けた賭博場だった。当時の歌舞伎町はこの「一休」だけではなく、一円ポーカーゲームなどがなかば公然と営業をしていた。実際、被害者のほとんどは賭博を行っていた客である。

逆に助かった三人(四人説も)はすべて従業員であり、彼らは避難誘導を怠ったとして批判されるが、所詮、違法行為の従事者であり、そこに倫理を求めることには無理がある。

一方、もっとも多い二十八名、店舗にいた人間がすべて犠牲となった「スーパールーズ」もパブ形態ではあったがその実、その頃、日本各地の繁華街で流行していたセクシーパブだった。セクシーパブは店舗によって若干の違いはあるが、従業員が客に密着したサービスをし、ほとんどの店では上半身を触らせることをウリにしていた。火災後に発売された写真週刊誌には「スーパールーズ」の従業員女性がＪＫのコスプレをしたまま、煤けた遺体となって搬送される姿が捉えられていた。

肝心の火災原因であるが、三階にあるエレベーター付近になんらかの火の気があがり、そこから出火した……ということしかわからなかった。ガスメーターが火元という説が有力だが、それがどのように作用したのか、あるいは人為的なものなのかは判明していない。

そもそも、この明星ビル自体が火災予防という観点から見れば杜撰(ずさん)極まりないものであった。この火災以前にも所轄消防署から指導を受けていたにもかかわらず、ビルの所有者がそれを改めることはなかった。また、かろうじて設置されていた火災報知器ですらも、誤作動が多いとして切られていたのである。さらに、避難口となる防火扉の前には恒常的に雑多な荷物が置かれており、避難ができる状態ではなかったなど、およそ考えられるあらゆるマイナス要素が被害を拡大した。

四十四人の被害者全員が一酸化炭素中毒だったことを考えると、火災報知器の不備、そして防火扉が作動しなかったことは文字通り、致命的な出来事となった。

このように、火事自体は残念ながら起こるべくして起こった、という側面は否めない。となると、問題は火災原因が人為的＝放火であった場合、その理由である。実際、歌舞伎町の事情を知る人間の間には放火説が根強い。世間では、三階の「一休」で大負けした客が腹いせで火をつけた、あるいは特定の個人を狙ったという噂も飛び交ったが、事情通たちの見立てはこれらとは異なる。

彼らの見立ては大きくわけてふたつ。まず考えられたのは、再開発に絡む話。この頃から歌舞伎町の再開発は真剣に俎上にのせられつつあった。当時、歌舞伎町にはヘルスや性感マッサージなどの店舗、あるいはポーカーを中心とした違法賭博店などが数多くあった。それらの店舗のほとんどが、社交ビルのなかにあり、またその違法――違法とまではいかないまでも、遵法と違法の間にあって、再開発の目玉である〝健全〟な店子との共存は難しい存在だったのだ。

当然ながら再開発計画は街単独でどうなる話ではなく、実際に開発を担当するゼネコンやそれをサポートする政治力も必要となってくる。だが、建て前上は店子を含むそこに住む住人たちの意向や利害を汲みながら再開発は進められる。そうしたなかで、なんらかのアクシデントを「起爆剤」として再開発のテコとするというものである。

そしてもうひとつ、歌舞伎町住人の間で考えられているのが、明星ビルに入っていた店舗を原因とする闇社会内での綱引きである。とりわけ、闇社会に精通した事情通の間ではこの説が有力である。二〇〇〇年前後は、日本最大の歓楽街であった歌舞伎町は暴力団を中心とした闇社会の勢力争いにおける綱引きの真っ最中であった。

賭博や性風俗などは暴力団の伝統的な資金源のひとつである。「一休」などの違法賭博店の多くはケツ持ち（用心棒）がいる。つけ加えるなら、ビルのオーナー自身も風俗産業に通暁した人物であった（後述）。歌舞伎町は本来、複数の暴力団が凌ぎを削っていたが、一九九〇年代からさらなる大組織の歌舞伎町への本格進出により、利権を巡って暗闘が続いていたのである。

つまり、ビル内の店舗、あるいはビルの関係者と繋がりの深い暴力団組織に対抗する組織が、なんらかの理由で火災を起こしたのではないか？　ということなのである。もっとも、火災原因すら特定できずに、「その先」を追及することは不可能なのだが……。

いずれにしても、なぜ火災が起きたのかという「事実」は、二〇二一年現在になっても判明していない。二〇〇三年二月には風俗関係者であるビルオーナー、ならび店舗関係者などが消防法違反などの疑いで逮捕される。また、遺族はオーナーを相手取り損害賠償訴訟を起こすが、二〇〇六年四月に、和解金として十億円以上支払うことを条件として和解が成立した。

火災当時はあったコマ劇場の跡地に、シネコンと高層ホテルが建つなど、「歌舞伎町ルネッサンス」と銘打った歌舞伎町の再開発はいまも進行中である。急速に健全化され、若者たちが行き交う歌舞伎町一番街のなかほどには、まっさらとなった明星ビルの跡地がわずかな違和感だけを残している。行き交う若者のほとんどは、ここで四十四人の尊い命が消えたことを知らない。

コラム

ビル火災の現場はいま

歌舞伎町でも一際異様な雰囲気を醸し出している建物がある。歌舞伎町一番街・明星ビルだ。

明星ビルといってもどんなビルかわからない読者も多いだろう。だが、二〇〇一年、死者四十四人を出したあの火災現場といえば思い出してもらえると思う。事件当時の津波のような報道ラッシュから一転、いまなお未解決事件であるにもかかわらず、現在は人々の忘却の彼方へと消え去ってしまったあの現場だ。しかし、関係者はもちろん、歌舞伎町の住人にとってはとても忘却の彼方……というワケにはいかなかった。印象付けたのは、一年近く経ってもなお「現場」がそのままの状態だったからだ。

いろいろと理由はあるのだろうが、やはりこれは異常である。事件現場である歌舞伎町一番街はまさに繁華街のまん真ん中、一番の賑わいを見せている場所なのだ。そこに焼け爛れた壁面を露わにして悲劇のビルは立っていた。

理由はある。極めて簡単に言えば、ビルの所有者と行政サイドのビル使用における見解の相違から新宿区が建物の使用差し止めをした……ということなのだが、これはモラルの問題でもあるので、本コラムではその是非を問うのは差し控えよう（僕はあのビル内の大部分が実質的に「使用可能」であることを某関係者から聞いている）。

いささか不謹慎な考えではあるが、あのビルが歌舞伎町の中心ではなく、どこか町外れや田舎の山中なら心霊スポットなどと呼ばれていてもおかしくないと思う。だが実際は、現場の両隣はいつも通りに営業しているし、目の前の通りでは奇声や嬌声をあげた酔っぱらいたちがけたたましく歩いているのである。僕はこのような場面を見るたび、「ああ、歌舞伎町だな」と心底思う。歌舞伎町以外でこのような異様な光景が繰り広げられる場所がこの日本にあるだろうか？　なんでもありなのだ、この街は。

ある事情通によれば、事件は「迷宮入り」の可能性があるという。

2002年9月

〝住民〟たちが見たビル火災

歌舞伎町、明星ビルの火災を、歌舞伎町の住人たちがどうとらえていたのか。

「生存確認の電話が二十件以上あったよ」。やや苦笑交じりにこう話してくれたのは、歌舞伎町にある某セクシーパブの社交だ。ご存じのように、あの火事で被害にあった女性のほとんど（十二人中、十一人）は四階にあるセクシーパブの社交たちだった。報道写真などですすだらけになったルーズソックスを見て、よりもの悲しさを感じた人もいたと思う。被害者のガン首（顔写真）集めなど、いつもならピラニアのように事件を喰らい尽くす各マスコミが、今回ばかりはややおとなしかったのも社交業という「（世間から見た）特殊性」と無関係ではないだろう。

極端なところでは、名物コラムで有名な某一流紙など、セクシーパブを飲食店としか報じなかった。これには一流（と言われる、あるいは思っている）マスコミの裏返しの自尊心が見え隠れしていて、正直不愉快だ。

被害者のガン首写真を公表することの是非は別にして、前述の社交は、「（被害者のなかに）知人がいるかどうかはわからない」と嘆いていた。というのも、よっぽど親しい場合を除いて通常、店のなかでは同僚の社交の源氏名しか知らないのが

コラム

フツーだからだ。おそらくかなりの時間がたってから、「エッ、彼女だったの」とショックを受ける人もいるのではないだろうか。

それと、別の社交が言っていたことで気になったのは、「(事件のあった)歌舞伎町一番街をキャバクラ密集地として報道してたけど、あれは違うよねえ。一番は区役所通りだよね?」などと、一見どうでもいいようなことを口にしていたことだ。実態は彼女の言う通りなのだが、新聞やテレビなどの大マスコミの歓楽街・水商売に関する感覚はしょせんそんなものなのだなあと、あらためて痛感した。

そして、もっとも痛感したことは、あの街の住人にとって、この大惨事には同情しても、ホンネの部分では「例外的な不幸」としか思っていないということだ。それは事件現場に行ってみればわかる。野次馬も含めて住人以外の人間は、記念撮影をしている大馬鹿者を含めてみんなそこで足を止める。逆に住人たちの大方はチラッと目をやって足早に通り過ぎるか、回り道をするかのどちらかだ。色々、複雑な気持ちはあるだろうが、正直、忘れてしまいたいというのがホンネなのではないだろうか。

それと、なんだかんだいっても社会的な弱者(オチこぼれといってもよい)も多く住む歌舞伎町の「不幸」のハードルは高い。見通しの不透明さではある意味、今回の被害者たちと五十歩百歩でもあるのだ(もちろん、今回の惨事の心痛が、野次馬たちの比ではないことは言うまでもない)。

2001年11月

第七章

もうひとつの歌舞伎町「新宿ゴールデン街」は不死鳥のごとく

バブル期の地上げなど……数々の危機を乗り越え、都内屈指の観光地となったゴールデン街。歌舞伎町の一画にあるこの街もまた、コロナ禍で苦しんでいる。しかし、街独特の〝結束力〟を活かし、いまは基本的に行政の要請にこたえる形で耐えしのぐ日々だ。

〝歌舞伎町臭〟の少ない、一丁目一番地

ちょっとした通人でも、ゴールデン街と歌舞伎町を結びつけて印象づける人は少ないかもしれない。さほどに、ふたつの街の体臭はかけ離れている。しかし、行政区分で言うところのゴールデン街は、まぎれもなく歌舞伎町。それも一丁目一番地だ。浅草で言うならば、あの「神谷バー」がある区画に該当する。

つけ加えて言うなら、その〝アジアンテイスト〟な雰囲気に魅了されるのか、近年外国人観光客の来店が増加。いまでは海外ガイドブックに、おすすめスポットとして掲載される「観光地」ともなっているのだ。

そしてこの〝歌舞伎町臭〟の少なさこそが、実は新宿ゴールデン街の魅力とも言えるのだ。それには、この街の成り立ちを、少々おさらいしなければいけないだろう。その前に、興味深い記事があるので、ひとつ紹介したい。日本に滞在する米国人のブログだ。

内容は、女性が新宿ゴールデン街を訪れた時の印象をつづったモノで、この街の外見的特徴である木造長屋や狭い路地、そして町の歴史にふれ、この街の印象を「タイムトリップしたような」と書き記す。さらにブログは、「建物は小さくて倒れそうで、通りはぼんやりと光がともっていて、全体的に薄汚い感じがした」「放火事件などもあったが、

一九五〇年代の雰囲気を残す場所として、いまも人気のある地域だ」「常連客を歓迎するバーも多いので、日本人の友人と一緒に行くとさらに楽しめるだろう」「ゴールデン街は、新宿のイメージとはまったく異なる古い世界に出会える」などと続き、機会があれば訪れてみてほしいと勧めている（二〇一二年十二月三十日の「livedoor NEWS」）。

おそらく、この米国人女性はゴールデン街に足繁く通ったワケではないであろう。だが、ゴールデン街の過去と現在を紡ぐキーワードが少なからず散見するのも事実だ。

まず、「建物は小さくて倒れそうで、通りはぼんやりと光がともっていて」「現在でも一九五〇年代の雰囲気を残す場所」のくだり。これは、戦後の闇市・マーケットから青線と呼ばれた売春地帯だった頃を。また「常連客を歓迎するバーも多いので」は、七〇年代なかばからの文壇・演劇関係者・全共闘世代などで賑わいを見せた時代を想起させ、「新宿のイメージとはまったく異なる古い世界に出会える」ことで、ミレニアムからこっちのゴールデン街との対比へと繋がる。

さて、歴史に話を戻そう。

そもそも、現在の歌舞伎町一丁目一番地は、かつての行政区分では旧三光町に含まれる。牧歌的な野原だったその三光町が〝繁華街〟へと変貌することとなったきっかけは、戦後、新宿駅に隣接したテキ屋組織が仕切る。「竜宮マート」（新宿マーケット）として隆盛を誇った闇市が、GHQによる露店取り払い命令により三光町に移転。

同様に、内藤新宿・遊郭の歴史的流れを汲む新宿二丁目の露天商たちも、命令によって大挙して三光町に流れ込んだ。いわば、ふたつの街（勢力）の融合であった。

ぐっと時代は下って、いま現在のゴールデン街も、正確に言うとふたつの組合で構成される。この両者の歴史と成り立ちは、「ナベサン」の名物オーナーだった渡辺英綱の著書『新宿ゴールデン街』（晶文社）に詳しいので、興味のある方は一読いただきたい。

ともあれ、マーケット、そして一大色町・青線（法律上の警察用語で、実質的には赤線と同義語）として栄華を誇った三光町であったが、一九五七（昭和三十二）年四月一日の売春防止法施行を機に、主として飲食業に転身。およそ半世紀を経て、営業者もほとんど代わり、青線時代の昭和建築をわずかに残した飲み屋街〝ゴールデン街〟へと、様変わりして現在に至る。

有名作家も大編集者もかたなし、〝伝説のママ〟

その飲み屋街が世間の脚光を浴びはじめたのは、七〇年代なかばになってから。大きな理由は、野坂昭如、長部日出雄、それに佐木隆三などの作家、そして担当編集者などがこの街の〝常連〟として足繁く通い詰めたこと。さらにまた、出版関係者とともに芸能界・音楽界、特に唐十郎などの演劇関係者がこの街をこよなく愛したことなどがあげられる。いつしかゴールデン街は「文化・芸術」の発信地となっていったのである。

直木賞作家で大宅壮一ノンフィクション賞などの選考委員を務める西木正明氏が当時の状況をこう語ってくれた。

「私が通いはじめたのは、三十年くらい前から。それ以前のマガジンハウス編集者時代もポツポツとは行っていましたけどね。映画とかテレビなんかを作っている人たちは、やはりゴールデン街か、毛色の変わった二丁目あたりで遊んでいる人が多い。彼らから話を聞いたりなんかする時は、あの辺を指名された。私がゴールデン街で最初に教えられた店は、『まえだ』だったと思う。ママがもともと、新劇の女優さんで、あの人を知らなかったらゴールデン街を歩くな……と言われたくらいですから」

西木氏が言う「まえだ」のママ・前田孝子さんは有名で、「まえだ」を知らなければ新宿文化人ではない、とまで言われた伝説の店でもあった。

「なんと言っても、強烈だった。いつ行ったってあまりにも混んでいて、お客さんが、外の道まではみ出している。一重二重、人垣ができている店内の一番奥に間ができていて、そこにママがドーンと居座っている（笑）。で、だいたいお客さんを怒鳴り散らしているワケです。

編集者時代から伺っていたんですが、私なんか、まだ新米の書き手で、ちょっと遅れて行ったりすると、『こらぁ西木、お前、何しに来た！』といきなり怒られて、『お前、そんなとこにボーッと立ってないで、何か飲みたいものはないのか』と。それで水割りとかなんか言うでしょ。すると客がそれを受け取って、次の列の人、次の列の人……って、私はまだ道に立っていますから。そんな状態でね」

そんなおっかない……と言っては語弊があるが、超個性的な人物がいたのは、カウンターの中だけではなかったようだ。

憧れだった　街に集う〝濃い〟面々

「昔は大編集者と言われる人たちがいっぱいいましたから、そういう人たちも怖かったし、作家の先輩・野坂さんなんか見ると、その場で逃げ出したくなるような（笑）、恐ろしくもあり、怖いモノ見たさみたいなところもあってね。それと、おっかないという意味ではケンカが多かった。まあ、よくやってましたよ。それこそ、唐十郎さんなんかも元気よくやってた時代ですから。唐さんなんかいると、必ず誰かがつるし上げられたりしてね。

客同士のケンカの理由はたいてい、作品論とか、一見、かなり高尚な議論をしているように聞こえるんですよ。その議論が、一転殴り合いになるから、これはいったいなんなんだ？　みたいな。でも、誰か頃合いを見て、止める人間が出てきて、しかもケンカをやってる連中が、言うことを聞かなきゃいけないような人が止めに入るので、大事にはならなかったんですけど」

我々から見れば、野坂昭如氏に怒鳴りつけられたり、唐十郎氏につるし上げられたり……と、まさに、小説や芝居の登場人物になったような気分に思えるが、当事者たちにとって、スリリングでもあっただろうことは想像に難くない。

もっとも、そんな物見遊山で、〃おっかないこと〃を体験しに行くことだけが目的ではない。西木氏が続ける。

「自分の目標にする、なんとしてでも、あの人くらいのモノが書けるようになりたいという人が、当然ながら何人かいらっしゃって。で、早い時間はそういう人は銀座にいるんですよ。遅い時間はゴールデン街。カレンダーが変わる前か後かによって、どの先生がどこに行けばいるという、動態ができている。

たとえば、私が今でも尊敬している先輩のひとり、長部日出雄さんなんかがね、早い時間は銀座におられて、日付が変わるとゴールデン街のどこそこにいらっしゃるという形がわかった。できれば、そういう人たちと、まあ、顔見知りになりたいという、ある種の物書きとしてのね、スケベ心みたいなものもあった。

あとひとつの魅力は、文壇三大酒乱だとか、三大音声とかね、だいたいダブっている場合が多いんだけど（笑）、そういう名物的な先輩に会ってみたり。おっかねえから、ひとりでは行かないので、自分と親しい編集者と行ったり。我々、駆け出しにとって（ゴールデン街は）便利な場所というか、勉強の場にもなってましたね。実際、目標にしている人に怒られると、どこか嬉しいですよ。そういった意味では我々、ゴールデン街に育てられた書き手というふうに言えなくもないですよね」

文壇華やかなりし頃のゴールデン街が、いかに物書きや役者にとって心惹かれるものであったのかが、うかがい知れるエピソードである。

住人たちは深い人情味に引かれた

一方、カウンターの内側、ゴールデン街の住人にとっての街の吸引力とはなんだったのか？　新宿三光商店街振興組合に所属する「Ｂｏｕｙ（ブイ）」のマスターはその魅力をこう話す。

「オープンから三十一年経ちますが、個人的には学生時代から飲んでいるんですよ。その時に高橋三千綱っていう作家に出会って、一緒に草野球やることになって、それからかな、この街と縁が深くなったのは。三千綱さんに連れていかれたのが、『まえだ』で、『まえだ』のおっかあもかわいがってくれて……」

物書きや編集者には、畏敬の念をもって慕われた「まえだ」のママだが、学生だったマスター氏にとっては､優しい〝おっかあ〟だったようだ。後に大学を中退してこの街の〝住人〟となるマスター氏いわく、ゴールデン街は実に人情味のあるところだという。

「確かに大御所もいたし、論戦とかも多かったど、たとえば年上の人がおごってくれたりとかね。人情味があった。店がハネてどっか連れてってくれたときなんか、『割り勘で』と言ったら、『生意気言うんじゃない』って。出世払いでもなく『お前が稼ぐようになったら若いヤツにおごってやれ』と」

さらに、

「昔はマーケットだったり青線だったりするじゃん？　でも代替わりをして新しくなって、学生運動をやってた人とか、普通の人がお店を始めだして、僕もそのなかのひとり。『まえだ』さんは、その先駆者だと思うんですよね。素人のなかで水商売をやり始めたというのは。その中で、野坂さんとか、唐さんとか来はじめて……。その〝新しい人たち〟の特徴として、田舎育ちだったりするんですよ。『まえだ』のおっかあが佐賀、僕は鳥取なんですけど、みんないろんなところから来てた。人情味の厚いところだから、居着いていったんじゃないかと思う。オカマだって優しいし。なんか、囲炉裏にあたっているような」

「地上げ」という厄災　店舗数は六割に減少

七〇年代から八〇年代なかばくらいのゴールデン街は、カウンターの外側、そして内側の人々を惹きつけて止まない、人情味と活気にあふれる場所であったのである。

だが、そんなゴールデン街にも暗雲が垂れ込めたことがあった。八〇年代なかばのこと。その頃、歌舞伎町では放火と見られる不審火が相次ぐなど不穏な動きが見られた。

世はバブル景気に向かって上げ潮ムード一直線。都市部の歓楽街などでは、再開発へ向けて「地上げ」が跋扈しはじめたのである。この風潮はゴールデン街とも無縁ではなかった。八七年七月十日付の朝日新聞東京版夕刊は、名物記者だった高木正幸編集委員名でこのような記事を掲載している。

〈木造やモルタル二階建ての古びた建物に、二百数十の小さな酒場がひしめく東京・新宿の名物『ゴールデン街』に、昨年高まった土地と店買い占めの〝地上げ〟の動きが、このところうごめいている。すでに土地の約半分が買い占められ、三十店以上が店を閉じた。残った店の約半数が昨年秋「守ろう会」を結成、弁護士も抱えて対抗しているが、「都心一等地の最終最大の未開発地」をねらって、さらに札束を積んでの〝大手〟の乗り出しだというのである。地上げ屋にまずたたかせて〝大手〟不動産、建設会社が現れ、〝最終〟開発企業がきれいな額で手に入れる。ゴールデン街を揺さぶる、巧妙な地上げ本格化の気配、濃厚である。〉

むろん、歌舞伎町の不審火とゴールデン街の地上げを結びつける具体的な証拠はないが、バブルに狂った日本各地で暴力組織をも取り込み、強引な地上げに血道を上げていた人々もいたのは事実である。

新宿の土地事情に詳しい不動産会社幹部がこう話す。

「バブル狂乱期には一坪、一億円とも言われた。しかもゴールデン街では、長屋ごと地上げすると一店舗の価値がさらに上がった。実際、謄本（所有者、所有者の変転、銀行等の担保の有無がわかる）を見る限り、北側から地上げがあったことが推測される」

ともあれ、前出の記事中に出てくる「守ろう会」。「Ｂｏｕｙ」のマスターも当該メンバーであったのだが、当時のことをこう振り返った。

「二百七十～二百八十軒あった店が、地上げ騒ぎの時に、百七十軒くらいまで落ち込んだ。

それで、二十人くらいで『守ろう会』っていうのを作った。営業者の権利を守ろうっていうんで。お客さんも応援してくれる人がいっぱいいて。具体的な救援活動としては、餅つき大会だとか、Tシャツを作って売ったりで街を盛り上げ、それを裁判費用に充てたりとか。当時、『守ろう会』やった人たちはほとんど街に残ってるんじゃないかな」

ときは、まさに地上げの真っ最中、さぞかしプレッシャーも大きかったと思いきや……。

「いやいや、楽しかったよ。お祭り騒ぎで。まあ、火事は確かにキツかった。付け火みたいな、不審火が実際あったたから。ある店は、二回も燃えたりして。でも、この街、俺好きだからなくしちゃいけないと思ってたし。お客さんも同じ思いの人がたくさんいた。(ゴールデン街を)守れたのは、仲間がいるということだよね。心強かったし、みんなそうだと思う。結果的にゴールデン街は残った。がんばった? あんまりがんばらないんだけど。なんだろね。つらいとは思ってないよ。むしろ、今のほうがつらいよね。三・一一以降のこの国の不景気のほうが」

店舗数は全盛期を回復　外国からの客も増加……

実際問題として、地上げ騒動で櫛の歯が欠けた状態となったゴールデン街は、バブル崩壊後の不況と相まって、往時の活況は見えなくなっていた。

不屈のゴールデン街もピンチ！　と思いきや、またもや世の風が、この街にとって追い風になる。

借地借家法が改正され、二〇〇〇年に定期建物賃貸借が導入されたことで新規オープンが容易になり、多くの意欲的な若い経営者たちの参入を招いたのだ。これに古くからの店主を含め、現在は全盛期と同数の店舗が軒を連ねている。

関係者によれば、現在、「空き待ち」希望者が数十人もいるというから、実に生命力の強い街と言えよう。前出・西木氏が最近のゴールデン街についてこう語る。

「独特の雰囲気、言葉で言うのはちょっと難しいんですけど、紛れもなく街に入った瞬間に独特な空気の流れがある。実はこういった場所というのは海外でも珍しく、外国からくる僕の友人なんか、ゴールデン街が気に入っちゃって、来たその日から、ゴールデン街に行こうという人がいます。特に映画人だと多いですよ。

こう言ったら言い過ぎかもしれないけれど、文化と言っちゃうとキザだけど、やはりある種の文化だよね。他の場所とは違う。なんといっても、安いという文化がありますし(笑)。

真面目な話、これは絶対言える。歌舞伎町の中ではね、あそこが一番安全です。やっぱり、歌舞伎町は昔ほどじゃないにしろ、うかつに飛び込みで入ったらヤバイ店はいくつもである。ゴールデン街はヤバイって言ったってね、誰か知らない客にからまれるのが関の山でね、金で目の玉が飛び出るということはあり得ない。そういう意味では、ゴールデン街っていうのは、ものすごく安心。歌舞伎町っていう天下に名高い危険地帯の中で、唯一、セーフティーゾーンじゃないですか」

そんなゴールデン街だが、オリンピックに合わせるように、一部関係者の間で、またぞろ再開発の噂も出ているという。その再開発問題について、西木氏は、はっきりとこう話した。

「抵抗するのは難しいけれど、極論すると東京の文化遺産としてあの一帯を登録してもらいたいよね。間違ってもね、コンクリート建ての中に入ったゴールデン街なんか、いらないですね。あのあばら屋みたいな、しもた屋みたいなのが、ずらずらあるからいいんですよ。道路も車が入れない狭さでいいです。消防は嫌がってるだろうと思うけど。大都会の中で一カ所くらいあったほうがいいです。いや、あってもいいじゃなくて、あったほうがいい。

もし、（再開発）機運が出てきたらね、我々、物書き、あそこに出入りする人たち含めて、ひいてはね、世間を動かして残す運動をしなくちゃいけないですよ。なにも、私があそこで安く酒を飲みたいから言ってるんじゃなくてね（笑）。たとえば、イギリスなんかで伝統的なパブをどうするというと、一騒ぎになる。いや、それ以上のもんだと思ってますけど。

　それこそ、民度を問われるというか、文化度を問われるというか……。やはり、絶対残すべき場所です」

　老舗バー『クラクラ』の店主で、新宿ゴールデン街商業組合理事長をつとめる外波山文明氏も言う。

「防災上のことはもちろん大切です。それだけに組合では各店舗に消火器や防災ブザーなどを配布するなど日々努力をしています。各店舗さんも、それはわかっていてみな（防災）意識は高い」

　その上で、

「新しいものだけをつくるのが街づくりなのでしょうか？　いまや、どこの繁華街に行っても同じようなつくりの飲み屋さんが多いような気がします。この街では、酒場の窓を開ければ風が通り、星が見えます。また、小さなカウンターで年齢差や職業差もなく人々が語り合える。特に若い人にとっては社会勉強の場にもなるでしょう。さらに言えば、酒は文化であり、そのなかで映画、文学、芝居も飛び交う……それがこの街なのです」

　そして再開発論に慎重な理由のひとつとして、外波山氏はこうつけ加えた。

「一度壊したものは、けっして元には戻りません」

コラム

暴排条例

二〇一一年十月、「東京都暴力団排除条例」が施行されてから、五ヵ月立った。

この条例がどの程度、ヤクザ（暴力団という呼び方はどうもピンとこない）に影響を与えるかは、いましばらく時間を待たないと目に見えてはこない。昨今、遠く九州では、繁華街や建設業者などを巻き込んだ物騒な事件が頻発し、市民生活を脅かしている。それを考えてみると、首都・東京のど真ん中にある歌舞伎町は一見、静かだ。

これには、心象風景からくる面も少なからずあるのかもしれない。コマ劇場というランドマークが完全に撤去された歌舞伎町は、まるで立ちすくむ巨人のようだ。四半世紀以上、この街で飲み、喰い、ときにはオンナとつき合ってきた筆者も、無論、初めて見る〝光景〟である。どこか気の抜けたような、空虚な心持ちとなるのも致し方ないだろう。

しかし、それでも、歩みを止めないのがまたこの街でもある。事情通の言葉だ。

「いま、直接的には歌舞伎町が激変した、ということはない。なぜならすでに、石原によってギュウギュウに締め付けられて、風俗や飲み屋は青色吐息だからだ。ただひとつ言えるのは、生き延びるために地下に潜った業者の動きは変わってくるだろう。さらに地下に潜るか。一か八か、短期勝負に出てくるかのどちらかだ」

地下に潜った業者の今後……事情通氏の言は気になるが、いまでも街を歩いた皮膚感覚として、歌舞伎町の〝質〟が悪くなった、というのは感じる。

確かに石原の浄化作戦で多くの業者、就中（なかんずく）、一部風俗業者はオモテに顔を出すことが難しくなった。まるで、一九八五年二月、つまり風営法改正以前に戻ったように、深夜、二時、三時を過ぎても、

「ヘルスどう？　可愛いコいるよ」

　などと客引きに声をかけられる。もちろん、そのテの店が優良店である可能性は極めて低い。そのリスクヘッジは多分に客側にあると考えるが、如何せん客引きも劣化している。袖を引っ張る、肩に手を回す、あげくの果てにシカトすれば（プロの客引きなら、ここで諦める）罵声を浴びせる。時に文句のひとつも言ってやろうと思うのだが、グッと堪える。それには、こんな話もあるからだ。

「いわゆる不良グループとヤクザが渾然一体としている場合がある。なんていうか愚連隊のケツ持ちにヤクザがいるみたいな……そういった連中のちょっと見は、いまふう兄ちゃんなので始末が悪い。ヘタに刺激したらボコられるよ。昔の歌舞伎町なら本職とそうでない人間の区別はついたのだけどね」

　とうに中年の域に達している筆者にとって、暴力沙汰はご勘弁。小さく舌打ちのひとつもしてその場を立ち去るしかない。

２０１２年２月

第八章

歌舞伎町の生き字引・吉田康弘氏インタビュー

二〇二〇年二月、「都内最後のキャバレー」を閉店させた伝説の支配人・吉田康弘氏。歌舞伎町歴六十二年、歌舞伎町の裏表を知り尽くした男がみた歌舞伎町のコロナ危機とは？

コロナは過去最大の打撃

――吉田さんは昭和三十三年から、六十二年間歌舞伎町で働いている、いわば歌舞伎町の生き字引であり、伝説のキャバレーの支配人。その吉田さんの経験からも、今回のコロナ禍ほど歌舞伎町がひどい状態になったときはなかったそうですね。

吉田　歌舞伎町で働いていて六十二年、その間、二回ほど、お客さんが激減したことがありました。

一度目は前回、昭和三十九年の東京オリンピックのときです。ご存じのように東京オリンピックでテレビが売れて普及した。だからみんな昼間働いたら、夜はすぐに家に帰ってテレビでオリンピック観戦をしていた。繁華街はガラガラでしたよ。

しかも、オリンピックが終わってからも二、三カ月はお客さんが戻ってこなかった。

――オリンピック放送がなくなったのに、みんな歌舞伎町に行かずに家に帰っていたということですか？

吉田　そうです。オリンピックのあった十五日間は、皆さん家で家族とテレビを見て過ごした。なのに、それが終わるやいなや帰ってこなくなるのも変じゃないですか。子供からもきっと「お父ちゃん、今日も早いね」なんて言われていたでしょう。それに今まで遊んでいた人も、帰る習慣がついちゃったから、もう一度外に遊びに行くようになるまで二、三カ月かかりましたね。

――私はオリンピックの頃に生まれたので、皮膚感覚では知りませんが、後に取材などをしていくうちに、オリンピックが戦後復興という点でどれだけ盛り上がっていたのかを知りました。奇しくも今年また東京オリンピックが開催されるかもしれませんが……。

吉田　本当に開催されるのかはわかりませんが、もしもコロナ禍でもオリンピックが開催

吉田康弘氏
（新宿社交料理飲食業連合会・常任理事）

されれば、歌舞伎町は打撃を受けるでしょう。いま少しは戻っている客足が、ストップしてしまいますから。

――オリンピックと、もう一回客が激減したのは？

吉田 これはあまり知られていないんですが、平成七年の地下鉄サリン事件のときです。何せ駅という駅、道のあちこちに警察官が立っていた。歌舞伎町の出入り口にもいましたね。そうするとどうしたってお客さんの足は遠のきます。飲む雰囲気ではなかったりしますし。このときも結構なダメージだったのですが、バブルの影響がまだあったので、比較的マシだったと言えるかもしれません。

――コロナ禍によって全国的に地価が下がっています。歌舞伎町も例外ではなく、とんかつ「すずや」のある一番街の通りの路面店を数えてみたら、七、八店舗が閉店していた。一番街の路面店は、およそ三十店舗ほどですから四分の一ほどが閉店、空き店舗となってしまっています。ビルによっては、上から下まで空き店舗のところもありました。これまで二回、お客さんの激減があったとおっしゃっていましたが、これほどのことはありましたか？

吉田 経験ないですね。もう廃墟みたいになっていますよね。それでもまだネオンがついているからマシです。ビルはネオンをつけるスイッチが一つしかなく、個々の店で電気の操作をしているわけではないんです。だから、ビル側がつければつくんですよ。

それと、実はネオンはつけておかないといけないんですよ。暴力団の取り締まりが厳しくなったとき、警察本庁から12時までに店を終わらせて明かりを消せと言われたんですが、新宿署は「冗談じゃない」と反対したことがありました。歌舞伎町から明かりが消えたら真っ暗闇になって犯罪が増えてしまう。ただでさえ人材が不足しているのに、これ以上犯罪が増えたらとても対応できないと。だからいまも、営業はしていなくてもネオンだけはつけてはいる。ぱっと見はまだ店がやっているように見えるんです。

——ゴールデン街も同じような対策をしていますね。ほとんどの店が時短営業をしていますが、店を閉めてもできるだけ明かりはつけてくれと組合から言われているそうです。一応、見回りもしているんですが、それだけでは足りない。あそこも店の明かりがなければ真っ暗ですからね。

吉田　歌舞伎町は音、光、匂いの町です。音は会話や笑い声、音楽など。光はネオン。そしてそういった人間や店から発せられる匂い……。これらは歌舞伎町にとって本当に大切な要素です。光がなくなった町なんてゴーストタウンでしょう。たとえばアメリカのラスベガスなんかもそうですね。

これが消えてしまったとき、歌舞伎町が終わってしまう。だからこそ、何とか生き続けて欲しい。ネオンを消さないのはそういう思いを抱える人たちからのメッセージだと思います。

インバウンド頼みが傷を広げた

——歌舞伎町から人が減っているということは、犯罪の数も減っているんですか？

吉田　人がいないということは、お金が流れていない。ほとんどの犯罪はお金目当てですから、減っていますね。

——顔見知りの客引きに話を聞いたら、「そもそも人が歩いていないから何もできない」と諦め顔でした。コロナ以前から、歌舞伎町二丁目あたりは、日本経済の悪化とともに、ここ二十年くらいはクラブやキャバレーが非常に厳しい状況にあった。そこにコロナですから、致命的なダメージだったのでは？

吉田　再起不能のお店がたくさん出ていますね。私はキャバレーのような大きな店ばかりにいたので、小さな店のことはわかりませんが、店が大きければ大きいほど家賃は高く、女の子の数も必要になる。そういう店ほど、コロナショックが直撃して大変です。

——そうなると店は？

吉田　閉めて、女の子は解散するしかない。だけど、キャバレーで働いている女性たちは年配の方が多く、そういう女性は次の仕事がない。その相談を受けるだけでも大変でした。

——ここ数年、「歌舞伎町ルネッサンス」として、「歌舞伎町を誰もが安心して楽しめるまちに再生する」ための取り組みを始め、その一環としてインバウンドに力を入れていた。確かに外国人観光客は増えたけれど、それに頼り過ぎてしまい、そのためにコロナでの打撃がより大きくなってしまったということはありませんか？

吉田　歌舞伎町のような繁華街が観光客に頼るというのは、後々のことを考えると危険度が高いと思いますね。

——大阪ミナミがそうであるように、飲み屋街、ゴジラのあるＴＯＨＯシネマズ周辺の居酒屋なんかは英語メニューが常備されていて、それ自体は悪いことではないのですが、インバウンドが永遠に続くものだという前提に立つと大変ですよね。観光の町にしようという考えも理解できますが、歌舞伎町の本来の魅力とは違うのではないか、と。

吉田　よくわかります。外国人観光客は歌舞伎町を見て回ることはありますが、食事などは買い食い程度でほとんどがホテルでとります。まして風俗関係の店には来ない。来ても一回だけで常連にはならない。ですから、実際、私がやっていた「ロータリー」では外国人観光客はほとんど来なかった、来ても日本人に連れられてきた人くらいです。

もし外国人をターゲットにするなら、日本に来るのではなく、日本にいる外国人に照準を合わせるのが先決ではないかと思います。その外国人をターゲットにすれば、その人を通じて日本に来る家族や友人も入りますからね。とはいえ、数は少ないですから、根気よくやっていくしかありませんが。

もう昔の歌舞伎町には戻らない

――「営業時間短縮に係る感染拡大防止協力金」ですが、一律という点が問題視されています。一番街の家賃が月百万円以上のお店と、小さなお店とが同じ四万円ではあまりに不公平ではないか、と。

吉田　細かく調べてお金を出す時間がなかったのかもしれませんが、これはもう行政の罪と言っていいのではないでしょうか。小さな店でも、ママ一人でやっている店と、ママと女の子三人でやっている店が同じ金額というのは、どう考えてもおかしいです。

――もし、いま「ロータリー」を営業していて、一日四万円と言われても……。

吉田　絶対無理でしょう。

――そういう意味では、「ロータリー」を閉じたタイミングは絶妙でしたね。二〇二〇年二月、東京最後のキャバレーが閉店となって各マスコミが報じて、多くの人が惜しんでいました。

吉田　六十二年間の歌舞伎町生活で、二十七、二十八軒の店を渡り歩いてきました。潰れた店もあるし、オーナーが逃げて、残った人間で営業したこともある。そういった経験を踏まえ、もうキャバレーの時代ではないなと感じてはいたので、このまま赤字を出し続け、女の子やスタッフに給料を払えなくなる前に何とかすべきだろうと考えていました。

ちょうど「クラブ愛」の人間が来て、六月に本店が立ち退くことになっていて、「どこかいいハコ知らないか」と相談に来ました。ぼそっと「吉田さんのところくらい、大きいハコが欲しいなぁ」と言うので、それは本気かと聞いたら本気だと言う。数日後にまた来て話し、「よかったらうちでやるか？」なんて話になって、そういったタイミングもあって二月での閉店を決めたんです。

結局この話は資金難などで挫折してしまったので、ちょっと「早とちりをしたかな」とも思ったんですが（笑）。

――しかし三月からの本格的なコロナパニックを考えると、ギリギリのタイミングでの閉店だった。

吉田　お客さんにも言われましたよ、「さすが吉田さん、名人芸ですね」「さすが伝説の人」

なんて（笑）。ヨイショなのか担がれているのかわかりませんが、自分でも六十二年も伊達に歌舞伎町で過ごしていなかったなとも思いましたよ。それくらいのタイミングでした。日記にも「あのタイミングで決心したのは名人芸だな」と書きました（笑）。

ただ、結果的に周りの人には多くの迷惑をかけました。働いている店が閉店しただけでなく、コロナで次の仕事が見つからない女の子から電話で苦情が来たり、相談受けたり。

――働きたくとも、仕事というより店がない。

吉田 そうです。夜の仕事しか知らない子ばかりですからね。泣いている子もいました。「助けて」と言われて返す言葉がありませんでした。簡単に「頑張んなさい」なんて言えませんよ。

お金の相談も受けました。あるお客さんが女の子にお金を貸したんだけど戻ってこない。貸したほうも資金難で返してほしい、でも借りた女の子も返したくともお金がない……。役所に出す手続きの手伝いもしたりしました。

――歌舞伎町のバーや飲食店の多くは、八時くらいからスタートして、夜通し営業する。そうなると時短要請というのは、実質的に休業要請になる。これはきついですね。

吉田 もういっそ、一～二カ月完全に閉めてしまったらどうか、なんて友達と話したことがあります。要請に応じて時間調整したりするほうが大変ですから。それで、まとめてお金をどんと出してほしい。

ただ、歌舞伎町は調子いい人間の集まりですから（笑）、一枚岩でそういう対応ができるかといえばそれも難しいですね。

――ワクチンが行き渡り、コロナが収束したとしても、歌舞伎町が完全に昔のような状態に戻るには相当時間がかかりますよね。

吉田　もう昔のような歌舞伎町には戻らないでしょうね。

歌舞伎町って年配の方が多い町でした。言い換えれば歴史を背負ってる人です。六本木はどこか外国かぶれ、渋谷は若い人が多い。しかし新宿は人生をそこそこ歩いてきた人が中心で、その中でも歌舞伎町はそういう方たちのロマンみたいなものがありました。

しかしそれがコロナで壊されてしまった。遊び場に行けずに家でチビリチビリと酒を飲むことで我慢する。それが当たり前になってしまったら、もう戻ってこないでしょう。

また、全盛時代の歌舞伎町を愛した人、歌舞伎町で遊んだ人が減っている。いまの若い人に、歌舞伎町の本当の良さ、面白さ、楽しさを感じ取れるとは思えません。若い人はバカではない、社会を見る目は私たちよりあるでしょう。しかし遊ぶ目がないんです。先日も、知り合いの社長に電話したら、「酒を誘っても来ない」と言う。居酒屋や屋台、そして家で飲んだりすればいいという感じなんですね。それじゃあ歌舞伎町で遊ぶ人はいないでしょう。

――このままだと、歌舞伎町はホストクラブしか生き残らないのでは？

吉田　ホストクラブ全盛期がもうちょっと続くでしょうね。

――なぜホストクラブは好調なのでしょう？

吉田　女性は男性に比べて遊ぶところが少ないのでホストクラブに集まる。あと競争意識が強い。自分の贔屓（ひいき）のために自分が一番金を払いたいと思う。

――客同士の張り合いが凄いですよね。私がよりたくさんお金を払うんだという感じで、そのためなら自分がひもじい思いをしようが、他の客を出し抜こうがおかまいなし。

キャバレーのボーイ時代

――吉田さんご自身のことも聞かせてください。吉田さんは北九州出身ですが、東京に来たキッカケは？

吉田　地元の高校を出て国士舘大学に入ったのですが、親父が死んだもので二年ほどで田舎に戻りました。その後、また東京に出てきたのが昭和三十三（一九五八）年です。

東京で世話になった先輩に「ボーイでもやれ」と紹介されたのが最初で、そこから人生変わりましたね。親に「キャバレーでボーイをしてる」って言ったら、電話でどやされましたね、「何考えてるの」と(笑)。

自分としては東京で生きていくために働かないといけなくて、やんちゃしていた時もあったから「もうボーイしかない」と思って始めたんです。でも、途中で「これは天職かな」とも思ったりしました。

――働いてみて、歌舞伎町はどんな町でしたか？

吉田　真面目が勤まらなくて、悪い奴が生き残れるのが歌舞伎町です。

――真面目じゃ駄目なんですか。

吉田　周りの人に押し切られちゃいますから。

例えばお客さんが「この値段は高いじゃないか」と言われて、腰を引いたら負けです。相手がヤクザであろうと、「飲んだものは払いなさいよ！」と言えるかどうか。それで喧嘩になって、殴り合いに発展する時もあります。ヤクザの事務所に連れていかれたことも何度もありますよ。

――大丈夫だったんですか？

吉田　ちゃんと「こういう値段で、こうやっています。これだけ飲んだから、これだけ払ってください」と説明すれば、兄貴分が「うちの若いのが無理言ったんだな。悪かった」と払ってくれます。後日、若いのがちゃんと菓子折りもってお詫びにも来ましたよ（笑）。そういうことを繰り返していると、名前が売れて、「吉田のところはうるさいから無茶できないな」と〝信用〟に繋がっていくんです。

だから強さ、図々しさ、いい加減さみたいなものを併せ持ってないと、歌舞伎町ではやっていけません

――殴り合いをするくらいですから、何か武道をやっていたんですか？

吉田 極真空手をやろうと思ったんですけど、やりませんでした（笑）。腕に覚えがあったわけではないんですが、思い切りがよかったんです。喧嘩は思い切りと根性。腕っぷしは三分でいいんですよ。

――ヤクザの事務所に連れ込まれて、怖いとは思わなかったんですか？

吉田 しょっちゅうでしたからねぇ。マネージャーなんか顔が変形して帰ってきたこともありました（笑）。

――キャバレー同士のライバル心が強く、女の子の引き抜き合戦が熾烈だったそうですね。

吉田 引き抜かれたらヤクザ顔負けですよ。相手の店に行って女の子を引きずり出したり……。警察沙汰になって、署長室で「ヤクザじゃないんだから、握手して仲直りしなさい」

と説教されたこともある。

――引き抜きしても、すぐばれませんか。

吉田　さっきと同じで真面目で、押しの弱い店が対応できなくなっちゃうんです。いくつかの店から黒服（ボーイ）を集めて会を作って、引き抜きに対抗するようなこともしましたね。

――血気盛んですね。

吉田　昭和三十年代には、「おしゃれ茶屋」というお店で働いていましたが、ここでは様々なことを学びました。

茶屋というだけあってお座敷がある。三階まである上に吹き抜けでした。二階がショーステージで、歌手やダンサーなどがゴンドラで昇っていく。各テーブルにガス台があって、そこですき焼きやしゃぶしゃぶが食べられた。居酒屋とキャバレーが一緒になったような豪華絢爛なお店でした。

――いわゆるグランドキャバレーですね。席数は二百くらい？

吉田　女の子が六百人くらいいたかな。私が勤めていた「ムーランドール」もすごかった。いつもビッグショーを開いていて、出ていないのは美空ひばりと鶴田浩二くらいと言われた。客が開店前にズラーッと店の前に並んでいました。

――キャバレーに並ぶというのは、いまとなってはすごい話ですね。

吉田 まるでデパートのバーゲンみたいでしたね。開店時間になり、ドアボーイに「はい、開けてください」と言って開けさせると、ドドドッと客が中になだれ込んできた。

――お客さんはどういう人が多かったんですか？

吉田 サラリーマンはもちろんですが、多かったのは建築関係ですね。日本の成長期で、儲かっていたからとにかくチップがすごかった。私もかなり金貯めましたよ。

――女の子はどうやって集めたんですか。

吉田 当時は新聞ですね。読売新聞に募集欄があってそこに出すと、店を三周するほど人が集まりました。

――じゃあ選び放題、より取り見取りですね。

吉田 選ぶどころか、全員採用しました。

――え、全員？

吉田 女の子はとにかく不足していましたからね。ババアでも入れた（笑）。親父が酒飲んで殴るとか、子供を苛めるとか、地方から逃げ出すように東京にして来た人が来ることも多かったです。

――キャバレーは、最後の最後までそういった駆け込み寺的要素が強かったですよね。

吉田　母子寮や託児所もあったくらいです。でも、アフターの時間だと保母さんなども帰っちゃうので、私が子供を見ることもあり、雑誌で「ねんねんころりのマネージャー」なんて紹介されたこともあります。他にも引っ越しを手伝ったり、旦那の代わりとなって病院に付き添うことも。

全盛時代からの変質

――一九六八年に自ら経営者となって「クラブロータリー」をオープン。

吉田　前の社長が、税金の問題などちょっといろいろありまして自己破産した。しかしなにせハコが大きいですから、歌舞伎町の人がなかなか手を出せない。ビルのオーナーと懇意にさせてもらっていたのもあって、「吉田さん、やってみたら?」と誘われた。当初は「そんな金はないですよ」と断ったんですが、「俺がバックアップするから」と言われて、始めることに。

――吉田さんが活躍しているころの歌舞伎町は活気がありましたか?

吉田　言ってしまえば、地方のお祭りです。人がいなかったら五分で着く場所に、人が多いし、知り合いも多いしで、二十〜三十分かかるほどでした。道路も整備されていなかった。でも活気あふれる、いい町でしたね。

――いつごろから変質していったのでしょう?

吉田　うーん、ごく最近ですね。ここ二十~三十年といったところでしょうか。

――その理由は?

吉田　歌舞伎町は都市開発なんかそっちのけで、みんな金稼ぎに奔走しました。で、東京都の繁華街では歌舞伎町の開発が一番遅れた。昔のまま。だからお客さんもそのままで、年配層が増えていった。若い人が集まらない。そこにコロナでしょ。

――歌舞伎町は怖いというイメージもありますが、昔はそうでもなかった?

吉田　私にとっては怖さよりも面白さのほうが大きい町で、お客さんもそうだったと思います。確かにヤクザはいましたが、本当のヤクザは自分からカタギに喧嘩は売りませんし。

――ある意味で、本物のヤクザが睨(にら)みを利かせているので、安全な町とも言えましたよね。

吉田　ひどい目に遭うのは本人の酒癖が悪いとか、料金確認をしないいい加減さによるものばかりでした(笑)。

ところがヤクザの取り締まりが厳しくなっていくと、今度は若いチンピラ、アウトローが出てきた。ヤクザはおかしなことをすれば組織から罰せられるけど、アウトローはそういうことがないので怖い存在でした。

――吉田さんでも怖かった？

吉田　私はあまり怖いとか思わないタイプだったんですが、むしろヤクザ者に間違えられて、「どこの組の方ですか？」と聞かれることが多かったくらいです（笑）。

――吉田さんが活躍された時代はキャバレーの時代ですが、いまは何の時代でしょう？

吉田　先ほども言ったように、ホストクラブの時代でしょう。数はまだまだ少ないですが、勢いがあります。

――キャバレーの時代は長かったとも言えますね。

吉田　ぼろぼろになってもキャバレーはブランドですから。キャバクラも流行りましたが、あれは麻疹（はしか）みたいなもので（笑）。

――ピンサロなどもありましたね。

吉田　男はどっかにはけ口が必要です。それに対応したお店ですね。でも歌舞伎町には数は少なかった。

むろん、ピンサロもソープも行ったことがありますが、店のあっちでもこっちでもそういうことが行われていると思うと「これでいいのかな」なんて冷めちゃうんですよ（笑）。そういう人は多かったようで、自然に消えていきました。

——ピンサロよりも、もっと直接的なヘルスや性感マッサージのほうが流行りましたね。それも、石原慎太郎都政で一掃されてしまった。

吉田 石原さんはあまりにも考えが真面目でしたね。全国民的に言えばよい方策だったのでしょうが、歌舞伎町の一部の住民は「冗談じゃない」と怒っていました。

——吉田さんは？

吉田 個人的には石原さんは好きなんですよ。お会いしたこともありますが、輝いていましたね。サインをお願いしたら、「僕は字が汚いんだよ！」と怒られたのもいい思い出です（笑）。良くも悪くも、石原都政で歌舞伎町が大きく変わったのは確かです。

——ちょうど福建や上海などの中国マフィアが歌舞伎町に出てきたころで、それへの対策でもあった。

吉田 ヤクザと中国マフィアの間で大きな抗争事件に発展したら大変だと行政が考えたのでしょう。

——なぜ中国マフィアが入るように？

吉田 アウトローと同じく、ヤクザの締め付けが厳しくなって、隙間ができたからですね。

——歌舞伎町はもともと台湾の老華僑がつくった町ですが、時が過ぎて彼らの力が弱まったのも一因でしょうか？

吉田　それもありますね。二代目になりましたから、ハングリー精神がない。「親父はすごかった」なんて言いますが、「お前がしっかりしろよ」と言いたい（笑）。

ハングリーなナンバーワン女性

――台湾人がいて、中国人がいて、韓国人もいる。ある意味で歌舞伎町は昔からダイバーシティの町ですね。女の子でも、フィリピンの子が入ってくるようになりました。ソ連崩壊のときにはロシアとかウクライナあたりの子も来た。歌舞伎町では外国人ブームが時折、起きますよね。

吉田　キャバレーがその割を食いましたね。それでもお客さんは最終的には「やっぱり遊ぶなら日本人がいい」と戻ってくる。いまでも歌舞伎町に何軒か残っていますが、苦しい経営のようですね。

かく言う私もフィリピンにハマって、女房と別れてフィリピン人と再婚しました（笑）。

――どういうルートでお店に来るんですか？

吉田　現地に行って、プロダクションから紹介してもらうんです。踊りを見たり話したりして、この子に来てもらおうと。当時の女の子はハングリー精神があって、親や兄弟のために稼いで、母国にお金を送っていました。今の子は自分に使っていますが（笑）。

——ハングリーなほうがいい？

吉田　応援したくなりますからね。

——印象に残っている女の子はいますか？

吉田　ナンバーワンになったナタリーというフィリピンの女の子。十六のときに歌舞伎町に来て、私が水商売のイロハを教え込みました。三十代後半だったかな、母国に帰るときに貯金通帳を見せてもらったら、一億何千万も貯めていたので驚きました。いまやマニラでビルを経営していますよ。

——その額はすごい！

吉田　まぁ、ヤクザが組の金を使い込んだり、公務員が退職金をつぎ込んだり、一緒になると約束した人から吸い上げたりと、半ば騙すようなことをしていましたけどね。それは騙される男が悪い（笑）。辞めることは私には言いましたが、お客さんからすれば突然だったので泣きながら行き先を聞かれたりしました。

——そんなに魅力的だったんですか？

吉田　魅力はありました。でも、そんなに美人というほどではないんですよ。

——ナンバーワンになる子は、顔はナンバーワンではないことが多いですよね。

吉田　そう。銀座などはどうか知りませんが、歌舞伎町ではきれいな子はナンバーワンにはなれない。プライドがあるので、可愛げがないんですね。やっぱり優しさや思いやりがある子じゃないと、ナンバーワンにはなれません。

――そういう子はどんなことをするんですか？

吉田　たとえばお客さんが飲んで帰った次の朝、家を出て会社に着くまでの時間を狙って電話をする。

「どうしたんだ、こんな朝早く。寝ている時間じゃないのか？」

「昨夜はありがとう、あなたの声を聞いてから寝たかったの」

なんて言ったら感動しちゃうでしょ。そうなったらまた店に行く。こういうことが上手な子がナンバーワンになるんです。

――これまでに会った中で、一番いい女だと思ったのはどんな女性ですか？

吉田　うーん……私はスケベだからみんないい女だなと思っちゃいますね（笑）。

――では、いい女の条件は？

吉田　優しい女ですね。あと、芯の強さがあると魅力を感じます。

いや、どんな女性でも可愛いですよ。女性を可愛くするのは、男性の責任ですね。

――歌舞伎町は女性の町ですしね。

吉田　そのとおりです。女あっての歌舞伎町。だから男が寄ってくる。

――そうすると「健全な町」にしようとする現在の傾向は、ちょっとピンとこない？

吉田　そこらへんのバランスは難しいところですが、町でも人間でも健全なだけでは面白みがないのは確かですね。どこか壊れていたり、いい加減であったりしたほうがおもしろい。

歌舞伎町は世界が違うんです。他では普通の女の子が、歌舞伎町に来ると性格が変わる、そして生き方も変わる。これまでに体験したことのないことに出くわし、怖いんだけどまた行きたくなる、それが歌舞伎町なのです。

ただ、これまで繰り返してきたように、そういった魅力がなくなりつつある。それは寂しいですね。

――歌舞伎町生活六十二年を含めたご自身の人生はいかがですか？

吉田　人さまが一生かかっても経験しないことをすべて経験できたと思います。誰よりもいい人生だったんじゃないかな。女房にも会えたし（笑）。

あとがき

二〇二一年五月七日、政府は当初十一日までのハズだった東京・大阪・兵庫・京都の緊急事態宣言を、五月三十一日まで延長することに決定した。このニュースに接し、多くの歌舞伎町住民たちが大きな嘆息をついた……と、言いたいところだが、実際はそうでもないようだ。三回目の緊急事態宣言が決まった直後、筆者は多くの住民たちが「どうせ、延長されるに決まってるよね」と、諦め顔で話していたのを知っているからだ。

無論、彼ら住民とて、一刻も早く収束し、一日でも早く通常営業をと強く願っている。というより、当事者として「生き死に」を賭けてコロナ禍が過ぎ去るのを願っていると言っていい。だが、反面、結果的にではあるが、効果と先行きの見えない行政の〝自粛要請〟に対し、辟易(へきえき)を通り越して諦念(ていねん)に近い感情を抱いているのもまた事実だ。斯様(かよう)に思わざるを得ないほど、歌舞伎町住人たちはここ一年以上、切羽詰まった状態に置かれている。

筆者が本書を著すきっかけとなったのは、久田将義氏責任編集ニュースサイト『TABLO』において、コロナ禍勃発当初から歌舞伎町を中心に全国の風俗産業が受けていった影響を継続的にリポートした記事であった。その存在を知った月刊『Hanada』花田紀凱編集長より、「一冊の本にまとめたら、面白いのでは」とお声がけをいただき、そのダイジェスト版的なリポートが、月刊『Hanada』二〇二一年五月号に掲載されたことに端を発している。

そもそも、筆者がなぜコロナ禍における歌舞伎町をリポートしようと思ったのか？　歌舞伎町をウォッチして三十数年、そして風俗ライターとして四半世紀以上街を見てきたモノとして、看過できない「事件」であったことが最初の理由であった。しかし、コロナ禍が拡大し、人々の関心が飛躍的に高まり、行政も対策に本腰を入れだし始めた頃から、筆者はある種の感情を抱くようになった。端的に言えば、それは「怒り」である。そしてその怒りは、三月三十日の小池百合子都知事の会見で、いわゆる「夜の街」への警戒を呼び掛けた直後から始まった、異様な歌舞伎町バッシングによって決定づけられた。

詳細は本書の内容と被るのでここでは語らないが、まるで歌舞伎町全体がコロナを培養する「シャーレ」と化したかのような、凄まじいバッシングの雨あられ、特にネット空間とそれに煽られたテレビのワイドショーは酷かった。ホストクラブなどで起こったクラスターを、限定的に行った検査結果であるにもかかわらず、まるで歌舞伎町特有の事象のように人々は非難したのだ。

百歩譲って、日本一の歓楽街である歌舞伎町でコロナ禍が起こったことへの非難は許せる、しかし、許せなかったのは、「歌舞伎町の店舗はほとんど違法店」「税金もまともに払っていない連中」「そもそも、必要のない街」などのネットを中心としたいわれなき誹謗中傷だ。為念、述べておけば三千軒とも四千軒ともいわれる店舗を抱える歌舞伎町にそのような無法者がいることは認めよう。少数ではあるが、反社が絡んだ店も存在する。しかし、大多数の店は他の繁華街同様、法を守り、税金も払っているフツーの人々なのだ。それがいわれなき中傷を受けるのを看過できようか。

その誹謗中傷への反論のため、コロナ禍という限られた状況ではあるが、知己の店の経営者、スタッフ、出入りの業者、なかには脱法の枠組みにいる客引きにまで取材の幅を広げ、出来得る限りの「現場」の声を聞き、また目にしてきた。それが、このリポートである。

あるいは、「お前は、単に歌舞伎町が好きなだけじゃないか」という批判も受けるかもしれない。その批判については、享受しよう。しかし、好きというより愛しているからこそ、ライターとして一歩引いた目で、極力中立・事実に基づいたものを、意識して記してきたという自負はある。

最後に、本書の礎（いしずえ）となったニュースサイト『ＴＡＢＬＯ』副編集長・岡本タブー郎氏に深い謝意を送りたい。一年以上、コロナ禍におけるリポートを根気よく掲載してくれた、担当でもある岡本氏のサポートなしに本書の刊行はなかった。また、本書に掲載された歌舞伎町や風俗に関するリポート・コラムの場を与えてくれたフリー編集者・中園努氏と元S&Mスナイパー副編集長・本田賢司氏にも同様に感謝の念を送りたい。

同じく、ニュースサイトの記事を日記形式でまとめて一冊の書籍にするという、機会を与えてくださった月刊『Hanada』花田紀凱編集長及び、編集実務を担当してくれた月刊『Hanada』編集部の川島龍太、佐藤佑樹両氏、及び書籍担当の工藤博海氏にも深い謝意を。

そしてなにより、諸事情から個々の名前を上げることは出来ないが、歌舞伎町におけるコロナ禍に苦しむ当事者であるにもかかわらず、筆者の取材に協力してくれた歌舞伎町の住民たちに、深い深い感謝と連帯の念を送りたい。

戦後に出来た歓楽街である歌舞伎町は、歌舞伎町の生き字引・吉田康弘氏のインタビューにもあるように、一九六四年の東京オリンピック、バブルによる再開発、そしてバブル崩壊による不況……と様々な苦難にあったが、それを乗り越えいまに至っている。未曽有とも言えるコロナ禍が大きな危機であることに違いない。が、この世に男と女の愛と欲がある限り、「夜の街」である歌舞伎町は再び力強く立ち上がってくれるハズだ。筆者はそれをなんの遅疑(ちぎ)もなく、確信している。

二〇二一年五月

羽田翔

〈初出元〉

ニュースサイト『TABLO』（二〇二〇年〜二〇二一年）

S&Mスナイパー（一九九八年〜二〇〇二年・ワイレア出版）

別冊宝島　新宿歌舞伎町黒歴史大全　「ヤクザ・マフィア・風俗王・ホスト・キャバ嬢」たちの告白（二〇一三年十月二十八日発行・宝島社）

月刊宝島二〇一三年十月号（宝島社）

〈初出不明〉

二〇一二年二月　コラム「存在感を増すホスト」

二〇一二年四月　コラム「客引き百景」

【著者略歴】
羽田翔（はねだ　かける）
1965年東京生まれ。20代前半、バブル絶頂期の歌舞伎町に営業職として出入りし、その魅力に取りつかれる。以降、風俗出版社営業、編集プロダクション、グラビア雑誌記者などを経てフリーライター。専門は現代風俗、芸能など。いまも日々、歌舞伎町の「定点観測」をルーティンとしている。

歌舞伎町コロナ戦記　夜の街の500日

2021年6月6日　第1刷発行

著　者　羽田翔

発行者　大山邦興
発行所　株式会社　飛鳥新社
〒101-0003
東京都千代田区一ツ橋2-4-3　光文恒産ビル
電話　03-3263-7770（営業）
03-3263-7773（編集）
http://www.asukashinsha.co.jp

装幀　神長文夫＋松岡昌代
印刷・製本　中央精版印刷株式会社

ISBN 978-4-86410-842-3

編集担当　工藤博海